KUNST DER WELT

IHRE GESCHICHTLICHEN, SOZIOLOGISCHEN

UND RELIGIÖSEN GRUNDLAGEN

›DIE AUSSEREUROPÄISCHEN KULTUREN‹

JAPAN

VON DER JŌMON- ZUR TOKUGAWA-ZEIT

VON

PETER C. SWANN

HOLLE VERLAG · BADEN-BADEN

AUS DEM ENGLISCHEN ÜBERSETZT VON
I. SCHAARSCHMIDT-RICHTER

Umschlag: Nyoi-rin Kannon. Holzstatue mit sechs Armen. Frühe Heian-Periode. Um 825 n. Chr. Osaka-Fu. Kanshinji-Tempel.

ZUERST VERÖFFENTLICHT 1965
PAPERBACK-AUSGABE 1974
ISBN 3 87355 107 1
© HOLLE VERLAG GMBH BADEN-BADEN
PRINTED IN HOLLAND
PHOTOMECHANISCHER NACHDRUCK
ČGP DELO, LJUBLJANA, JUGOSLAWIEN

I. VORBUDDHISTISCHE PERIODE
BIS ZUM 6. JAHRHUNDERT N. CHR.

Für die Prägung des Charakters und darüber hinaus der Kunst eines Volkes stellen die geographischen, klimatischen und geologischen Verhältnisse wirkungsvolle Faktoren dar. Die Reihe der großen und kleinen Inseln, die den japanischen Archipel ausmachen, erstreckt sich in einem langen gebrochenen Bogen von Sibirien im Norden bis zu den Ryūkyū in der Nähe von Taiwan im Süden. Andere, kleinere Inselketten, die in Ost-West-Richtung verlaufen, verbinden Japan mit Korea und weiter nördlich mit dem Festland. Zwar konnten die Nord-Süd und Ost-West gerichteten Bindeglieder niemals als leichte Verbindungswege benutzt werden, aber für den zielbewußten Reisenden oder den verwegenen Einwanderer boten sie immer eine Möglichkeit.

Geographische, klimatische, geologische Verhältnisse

Die Isolierung Japans – wie die ähnliche Situation Großbritanniens – spielte im Lauf der Jahrhunderte in seinen Anschauungen eine große Rolle. Doch im Gegensatz zu den Engländern gehörten die Japaner, obgleich ebenso Inselbewohner, im Grunde nicht zu den Erforschern der Meere. Der Drang zur Kolonisation kam erst später. Zu den vier Hauptinseln Japans gehören Hokkaidō (der nördliche Meeresdistrikt), Honshū (die Hauptinsel), Shikoku (die vier Provinzen) und Kyūshū (die neun Provinzen). Insgesamt sind es nicht weniger als 500 wichtige Inseln; daraus ergibt sich eine relativ lange Küstenlinie (über 27000 km), und von keinem Punkt auf den Inseln ist das Meer weit entfernt. Im japanischen Leben, wie auch in der japanischen Kunst, haben das Meer und die Küste immer eine große Rolle gespielt. An manchen Stellen, besonders an der Ostküste, ist die Landschaft von unübertroffener Schönheit. Das Herzstück dieser romantischen Küste bildet die Inlandsee, über deren ruhige Wasser sich Myriaden von grünen Inseln in allen Größen und Formen erheben.

Auf der Reihe der Inseln selbst zieht sich von Norden nach Süden eine Kette vulkanischer Berge mit stark verwitterten hohen Gipfeln.

Auf den ganzen Inseln gibt es ungefähr 50 tätige Vulkane. Die Bergpässe sind vergleichsweise niedrig und die Verbindungswege nicht schwierig. Größere Teile der höheren Lagen sind von dichtem Baumwuchs bedeckt, und ungefähr nur ein Sechstel des Landes kann zur Bebauung genutzt werden; diese Tatsache veranlaßte Sansom, Japan als ein »Land, das seine Armut hinter einem lächelnden Gesicht verberge«, zu bezeichnen. So sind die Japaner daran gewöhnt, auf engem Raum dicht beieinander zu leben. Diese Lebens-

Lebensbedingungen

bedingungen erforderten die Beachtung der kleinsten Umstände menschlicher Beziehungen und ein Interesse für das Detail, was sich wiederum in der Kunst widerspiegelt. Die Täler sind oft schmal und flach mit zu beiden Seiten schroff aufsteigenden Bergen. Sie geben der Landschaft das Aussehen von klar geschnittenen, scharf umgrenzten glatten Farbflächen, was zu allen Zeiten die Landschaftsmalerei beeinflußt hat. Das Land ist durch zahlreiche Ströme und Flüsse, Seen und Wasserfälle sehr wasserreich, die seine Schönheit noch steigern – eine Schönheit, deren sich die Japaner sehr wohl bewußt sind. Das Klima ist auf der ganzen Inselkette sehr unterschiedlich, doch in den Hauptwirtschaftsgebieten von Honshū und weiter südlich sind die Sommer kurz, heiß und feucht, die Winter länger, aber klar. Frühling und Herbst sind die schönsten Jahreszeiten, wenn die Blumen und Bäume – die von den Japanern sehr bewundert werden – das Land in Schönheit tauchen. Das wirtschaftliche Leben ist nicht leicht, und der Anbau von Reis, der das Hauptgetreide darstellt, verlangt harte Arbeit. Die Genügsamkeit war immer ein Charakteristikum und eine Tugend des japanischen Volkes. Zum Bau verwendbare Steine sind selten, aber Holz und Bambus sind reichlich vorhanden; so haben diese Materialien der japanischen Architektur die Bauweise diktiert, wie auch vieles andere der japanischen Kunst, besonders auch in bezug auf seine schöne frühe Plastik.

Die eigentliche Herkunft des japanischen Volkes liegt noch sehr im *Herkunft* Dunkel; aber den britischen Inseln ähnlich, bildet Japan den vorgeschobensten Teil einer großen Landmasse, der Zugang von Nor-

Fig. 2 – Tonfigur. Späte Jōmon-Periode. Höhe 17,1 cm. Sammlung T. Nakazawa. Vgl. Seite 11

den, Süden und Westen besitzt, so daß auswandernde Volksstämme Japan wohl erreichen, von da aus aber nicht weiter gelangen konnten. Schließlich waren diese Völker gezwungen, sich dort zu vermischen. An der jetzt gut konsolidierten Bevölkerung kann man noch heute eine Anzahl verschiedener ethnischer Elemente erkennen. Bevölkert waren die japanischen Inseln relativ früh; aber die Zivilisation kam, gemessen an der fernöstlichen Zeitskala, verhältnismäßig spät nach Japan. Die frühesten Ankömmlinge waren ein kaukasisches Volk aus Nordostasien, und nach einigen Ethnologen sind die sogenannten Ainu Überreste dieses Volkes; sie leben heute in Hokkaidō, wohin sie einst durch fortgeschrittenere und kriegerischere Volksstämme vom Süden her verdrängt wurden. Ein mandschurisch-koreanischer Typ, ein mongolischer Typ und in einem geringerem Maße ein malaiischer Typ von den Pazifischen Inseln bilden die drei Grundzüge des modernen japanischen Menschen. Der malaiische Typ gelangte von Indien und dem Pazifischen Ozean durch den wichtigen Südwest-Monsun, sowie durch die warme Kuroshio-Strömung, die nordwärts nach Kyūshū fließt, nach Japan. Alle diese ethnischen Einflüsse tragen zu der Kunstauffassung der Japaner bei.

Religion

Shintōismus

Die frühesten religiösen Bestrebungen des japanischen Volkes sind als Shintō oder der »Götter-Weg« bekannt. Natürlich muß man diesen frühen Shintōismus von dem nationalistischen und militaristischen Shintōismus, der in der ersten Hälfte dieses Jahrhunderts verbreitet war, unterscheiden; aber noch heute repräsentiert die ältere Form des Glaubens eine tiefe Veranlagung des japanischen Denkens. In seiner ursprünglichen Form war es ein primitiver Animismus: die ganze Natur wurde als mit Geistern und fühlenden Wesen angefüllt gedacht. Durch die Schönheit und Fruchtbarkeit des Landes erschienen diese *kami* oder übernatürlichen Geister im ganzen als freundlich und sanft; sie gewährten Schutz, waren Spender der Nahrung, schenkten Kinder, Reichtum und langes Leben, Sicherheit und die Fähigkeit zu überleben, Gesundheit und Glück. Die alte Religion war eine Mischung aus Ahnen- und Naturverehrung; eine Morallehre hatte wenig Platz darin. Die Hauptzeremonie des Shintōismus besteht in einer Reinigungszeremonie, mit

welcher man den Makel alles Bösen zu vertreiben trachtete, Reinheit und Einfachheit sind das Erhabene, Bildnisse aber haben keine Bedeutung. Die tiefsten Elemente dieses Glaubens sind noch heute mächtige Faktoren und bilden die Grundlagen einiger der verbreitetsten neuen Religionen.

Als die früheste japanische Kultur, von welcher wir überhaupt Nachricht haben, gilt das Jōmon (»Schnurmuster« oder »Schnurabdruck«), so genannt nach seiner Keramik, die mit reichen und phantastischen Schnurabdrücken an der Außenseite der Gefäße versehen ist. Die Jōmonkultur war weit verbreitet (ungefähr 75000 Fundstellen sind registriert worden), und ihre Periode umfaßt den sehr großen Zeitabschnitt von etwa dem fünften (einige sagen: seit dem dritten) Jahrtausend v. Chr. bis fast an die Zeitenwende. Gegen das Ende dieser Jahrhunderte folgten die Veränderungen rascher aufeinander, und das ursprünglich nomadische Volk wurde mit den Grundlagen einer seßhaften Lebensweise bekannt. Die Kultur des Bronzezeitalters in China, die seit ca. 1500 v. Chr. blühte, scheint auf das frühe Japan nicht eingewirkt zu haben.

Die für die Jōmon-Periode charakteristische Keramik ist schwer und mehr von Hand als auf einer Scheibe geformt. Der Ton ist ungeläutert und enthält viele Unreinheiten, die Ware wurde nur schwach gebrannt. Gemessen an späterer Keramik, selbst an steinzeitlicher, ist diese Jōmon-Keramik etwas schwerfällig, aber die Formen und der Dekor zeigen Vielfalt und Phantasie. So besitzt die Jōmon-Keramik plastische Qualität, eine lebendige Kraft, die überraschenderweise im japanischen Keramikgeschmack erhalten geblieben ist. Während die Chinesen immer nach Eleganz und technischer Perfektion strebten, waren die Japaner oft von dem herben organischen Gefühl, das der Ton vermittelt, entzückt und von Formen, die nicht von der Glätte und Regelmäßigkeit, wie sie durch die Scheibe ent-

Fig. 5 – Bronzeglocke, Abreibung einer Jagdszene (die Glocke ist mit insgesamt 12 solcher Felder geschmückt). Sammlung H. Hashi. Vgl. Seite 13

standen, abhängig sind. Die Muster sind phantasievoll, sehr durchgestaltet und originell; der seltsame, fremdartige Prunk wirkt niemals übertrieben noch unausgeglichen.

FIG. 1 Manchmal, wie bei dem Gefäß von Fig. 1 aus der Mittel-Jōmon-Periode, ist die Form schwerfällig und der Dekor eine ›tour-de-force‹ an archaischer Kunstfertigkeit; die ganze Oberfläche ist von einem unregelmäßigen, aber kühnen Muster bedeckt. Form und Dekor verbinden sich zu einem kraftvollen Gefäß, das einer primitiven Vorstellungswelt entstammt, aber bei weitem nicht kunstlos ist. Im FIG. 3 Gegensatz dazu ist Fig. 3, ein Stück aus dem Spät-Jōmon, ein schlankes, anmutiges und delikates Gefäß, welches nach einem Gefäß aus anderem Material, vielleicht Leder, modelliert ist. Das Muster aus Spiralen über parallelen Riefungen ist einfach und in seinem markanten Rhythmus sogar elegant. Ein Vergleich zwischen

*Fig. 6 – Fußschale, Ton. Yayoi-Periode.
Höhe 15,5 cm, Durchmesser 41,6 cm.
National-Museum, Tōkyō. Vgl. Seite 14*

beiden Stücken zeigt den ungeheuren Spielraum der künstlerischen Empfindung des japanischen Steinzeitmenschen. Die japanische Jōmon-Keramik hat von aller neolithischen Keramik die größte Variationsbreite, und bei keiner anderen Steinzeitkeramik ist die Atmosphäre des Geheimnisvollen so stark.

Ende der Steinzeitperiode

Gegen Ende der langen Steinzeitperiode, aber möglicherweise schon im 10. Jahrhundert v. Chr., stellten die Jōmon-Leute eine Art kleiner Tonfiguren her. Sie haben ungewöhnlich viele verschiedenartige Typen, einige sind schwerfällig und mit Einzelformen überladen, ähnlich wie die Jōmon-Gefäße. Die vergrößerten Geschlechtsattribute an vielen von ihnen deuten darauf hin, daß sie wohl zu einem

ABB. I, 2

FIG. 2

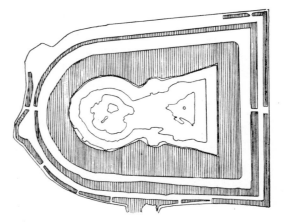

*Fig. 7 – Tumulus des Kaisers Nintoku,
Grundriß. Kaiser Nintoku starb ca. 400
n. Chr. Vgl. Seite 15*

Fig. 8 – Fußschale, graue Sue-Keramik mit Kamm-Muster. Vgl. Seite 16

Fruchtbarkeitskult gehörten. Andere wirken sehr geschmeidig und sind mit Merkmalen versehen, die auf Tierformen hindeuten. Die Bedeutung dieser Figuren blieb im dunkeln. Man vermutet, daß sie als Stellvertreter die verschiedenen Krankheiten, mit denen die Menschheit behaftet ist, auf sich nehmen sollten. Zweifellos bezeugen sie eine imaginative Kraft, der keine andere Kultur auf der gleichen Stufe in der Entwicklung des Menschen ein gleiches entgegenzusetzen hat. Sie sind der lebendigste Ausdruck einer mit Geistern angefüllten Welt, in der einige Mächte auch etwas Unheilvolles haben können. Diese Figuren machen deutlich, daß es sich bei ihren Herstellern um ein hochentwickeltes Volk mit starkem religiösen Glauben handelte; sie gehören zu einer Welt des Schamanismus und der Zauberei, in der der Mensch nur durch die Versöhnung der Myriaden unsichtbarer Mächte überlebt, die in anthropomorphen und zoomorphen Gestalten sichtbar gemacht werden.

Um das frühe 3. Jahrhundert v. Chr. erreichte ein anderes Volk von mongolenähnlicher Rasse in beträchtlicher Zahl von Südchina oder Indochina her über Korea Japan. Es nahm zuerst das nördliche Kyūshū in Besitz, und im Laufe der folgenden sechs Jahrhunderte breitete es sich fast über ganz Honshū aus, indem es sich mit der dort bereits ansässigen Bevölkerung vermischte oder sie vertrieb. Die

Fig. 9 – Bronzehelm, vergoldet. Höhe 12,7 cm, Durchmesser 22,2 cm. National-Museum, Tōkyō. Vgl. Seite 15

Kultur, die es vom Festland her mitbrachte (obgleich wir bis jetzt nichts Genaues über ihren Ursprung wissen), war von China beeinflußt worden und sehr viel fortgeschrittener als die des Jōmon. Dieses als Yayoi-Leute bezeichnete Volk (sogenannt nach der ersten in Tōkyō entdeckten Fundstelle) besaß eine Wirtschaftsform, die in zunehmendem Maße auf Ackerbau basierte, wobei Reis das Hauptgetreide war. Sie brachten nicht nur die Kenntnisse von Bronze mit, sondern auch von Eisen, das von dieser Zeit an in großem Umfang benutzt wurde. In Japan gibt es keine lange Bronzezeit; dieses Metall, das zur selben Zeit in Japan eingeführt wurde, als es in China durch Eisen ersetzt wurde, wurde in Japan in der Hauptsache für Ornamente und künstlerische Gegenstände, wie Spiegel nach chinesischen Vorbildern verwendet. Der künstlerische Einfluß Chinas, der über Korea nach Japan einwirkte, war sehr stark, besonders nachdem in Nordkorea im Jahr 108 v.Chr. eine chinesische Kolonie errichtet worden war. Doch die Japaner versuchten sich auch an eigenen Entwürfen zu Bronzegegenständen. Das bemerkenswerteste sind die großen Bronzeglocken *(dotaku)*, die in Form und Dekor völlig japanisch sind.

Yayoi

Bronzezeit

Einfluß Chinas

FIG. 4

Diese Glocken gibt es in allen Größen. Am Anfang sind sie noch grob gefertigt, doch dann erreichen sie eine außerordentliche Verfeinerung. Die späteren Exemplare sind im Umriß sehr anmutig mit ihrem breiten Flansch, der den Glockenkörper in zwei gleiche Teile zu zerschneiden scheint. Der Glockendekor ist ganz verschiedenartig und reicht von einfachen geometrischen Formen bis zu lebendigen Strichzeichnungen menschlicher Tätigkeiten wie Jagen oder Kochen. Die Verwendung der Glocken scheint weitgehend auf rituelle Zwecke beschränkt gewesen zu sein. Die sich erweiternde, rockähnliche Silhouette, die durch einen breiten, ausgebogenen Flansch entsteht, gibt ihnen eine seltene Eleganz; und ihre Schönheit wird überdies noch durch die hellgrüne Patina erhöht, die viele von ihnen dadurch, daß sie vergraben waren, angesetzt haben.

Dōtaku

FIG. 5

Die Keramikgefäße unterscheiden sich völlig von denen der Jōmon-Periode, obgleich sich in einigen Fundstellen beträchtliche Überlagerungen zeigen. Von Korea her kam die Kenntnis der Töpferscheibe, durch ihre Anwendung erhielten die Gefäße regelmäßige

Keramik

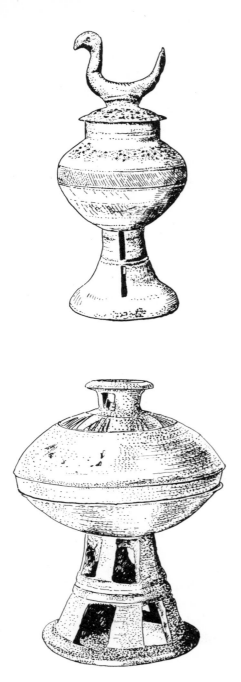

Fig. 10 – Fußschale, graue Sue-Keramik. Deckel mit einem Vogel bekrönt. Späte Yayoi-Periode. Vom Sumiyoshi-Taira-Tumulus. Vgl. Seite 16

Formen, doch ging dadurch viel von der Bildkraft der Jōmon-Periode verloren; und die Herstellung jener großen Gefäße, die als Särge verwendet wurden, verlangte sicher bedeutende technische Fähigkeiten. Fig. 6 zeigt ein typisches Gefäß der Yayoi-Periode aus gelblich-rotem Ton, auf der Scheibe gedreht und in der eleganten Form einer Fußschale, die für die fernöstliche Keramik typisch ist. Die Oberfläche ist geglättet worden, und das ganze Gefäß vermittelt den Eindruck einer entwickelten Kunstfertigkeit. Oft haben diese Gefäße einen kraftvoll gemalten Dekor, der häufig aus stilisierten Blumen besteht. Im allgemeinen zeigt der Ton eine rötliche Farbe und ist viel feiner als der Ton der Jomon-Periode.

In der Zeit vom 3. bis zum 6. Jahrhundert gestalteten sich die Kontakte mit dem Festland, besonders auch mit Korea, immer enger. Gelegentlich müssen große Gruppen nach Japan eingewandert sein, und dort nahm man die Kenntnisse, die sie mitbrachten, sehr bereitwillig auf. Innerhalb

Fig. 11 – Koreanisches Gefäß, grauer Ton; mit Deckel. Silla-Reich. 5.–6. Jahrhundert. Koreanisches National-Museum. Vgl. Seite 16

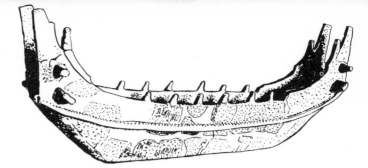

Fig. 12 – Haniwa-Boot. Vom Saitobaru-Tumulus, Miyazaki. Länge 88,9 cm. National-Museum, Tōkyō. Vgl. Seite 21

der hochorganisierten Klassenhierarchie existierten ansehnliche Handwerkergilden. Diese Periode wird als die Tumuli-Periode bezeichnet; sie leitet ihren Namen von den mehr als 10000 im Land verstreut liegenden Grabhügeln her. Während dieser drei Jahrhunderte entwickelte sich ein hochorganisiertes Klassensystem. Fig. 7 zeigt den Plan der größten und interessantesten dieser Grabanlagen, den *tumulus* des Kaisers Nintoku (gestorben ca. 400 n. Chr.). Er erhebt sich in einer flachen Ebene nahe bei Ōsaka und nimmt ein Gebiet von ungefähr 3,2 ha ein; die Jahrhunderte überdauerte er unversehrt. Besonders diese letzte Tatsache ist ein bemerkenswertes Beispiel für die Hochachtung, die der Japaner der kaiserlichen Familie entgegenbringt, was zur Folge hatte, daß vieles wertvolle Material bewahrt wurde. Aus diesen *tumuli,* die oft ungeheure Ausmaße hatten und von Wassergräben umgeben waren, wurden Bronze-, Stein-, Eisen- und Glasobjekte zutage gefördert, die zu dem Besten gehören, was man in dieser Periode herstellen konnte. Fig. 9 zeigt eines der schönsten Rüstungsstücke, die aus einem Grabhügel

Tumuli-Periode

FIG. 7

FIG. 9

Fig. 13 – Haniwa-Haus. Vom Saitobaru-Tumulus, Miyazaki. Höhe 52,7 cm. National-Museum, Tōkyō. Vgl. Seite 16

ausgegraben wurden. Es ist ein vergoldeter Bronzehelm, hergestellt aus dünnen übergreifenden Platten, die mit dem oberen Mittelstück und den unteren Bändern kunstvoll vernietet sind. Auf dem mittleren Band sind mythische Tiere leicht eingraviert.

Keramik Während der Tumuli-Periode wurde für die Verwendung in Grabhügeln ein anderer Keramiktyp eingeführt, der sich im 6. Jahrhundert über ganz Japan ausbreitete. Technisch weit fortgeschritten, FIG. 8, 10 von feinem, nicht porösem, grauem Ton mit dünnen Wandungen und scharf gebrannt, war es offensichtlich eine Ware, die für die höheren Klassen bestimmt war. Auf verschiedenen und interessanten Formen sind verschiedenartige Kammuster angebracht. Fig. 10, ein spätes Exemplar, ist eine sehr elegante Fußschale, deren Deckel mit einem kräftigen, munteren Vogel geschmückt ist. Die Leibung und der Deckel zeigen Spuren von rauher Ascheglasur (siehe unten). Hier besteht eine offensichtliche Parallele zu ähnlichen Typen in FIG. 11 Korea; es müssen koreanische Töpfer in beträchtlicher Zahl nach Japan eingewandert sein und die Japaner mit diesem neuen Keramiktyp bekannt gemacht haben. Ein Vergleich beseitigt alle Zweifel über den Ursprung dieser Ware. Bei einigen Gefäßen sind auf den Schultern grob modellierte Tierfiguren angebracht, die aber auf keinen Fall so ausdrucksvoll wie die *haniwa*-Figuren sind. Die wichtigste Einführung war die einer groben Ascheglasur; wahrscheinlich war sie zu Anfang ganz zufällig entstanden, später wurde sie mit großem Geschick angewandt.

Haniwa Die auffallendste Hervorbringung dieser Zeit jedoch sind die *haniwa*. wörtlich übersetzt »Ton-Ringe«, die rund um den Grabhügel in den Boden gesteckt wurden, um die Erde festzuhalten. Diese *haniwa* aus rotem Ton reichen von einfachen, gut gemachten Gefäßen bis zu komplizierten Nachbildungen von Häusern, verschiedener Gegenstände und menschlicher Figuren, sie liefern einen faszinierenden Beweis von dem Stand der Zivilisation in Japan kurz vor der EinFIG. 13 führung des Buddhismus und der chinesischen Kultur. Fig. 13 zeigt

ABB. 1 – Figur. Späte Jōmon-Periode. *Höhe 29,8 cm. National-Museum, Tōkyō. Vgl. Seite 12*

ABB. 2 – Figur. Mittlere Jōmon-Periode. *Höhe 25,7 cm. Sammlung Y. Yamasaki. Vgl. Seite 11, 12*

1

3

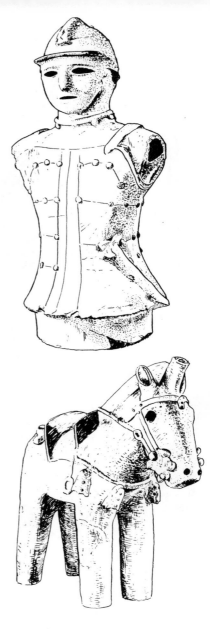

das komplizierteste Gebäude unter den *haniwa*-Häusern. Möglicherweise waren diese Häuser dazu da, die Seelen der Toten zu beherbergen. Außerdem machen diese Nachbildungen deutlich, daß die Häuser aus dieser Zeit verschalte Seiten und selbständige Dächer hatten. Darüber hinaus scheinen zweistöckige Gebäude üblich gewesen zu sein. Die Lebensverhältnisse waren offensichtlich weit komfortabler geworden. Besonders häufig sind die Nachbildungen von Schiffen (Fig. 12) und Tieren, vor allem von Pferden (Fig. 15), gefunden worden. Doch weit auffallender noch sind die mit dem Anfang des 5. Jahrhunderts aufkommenden Figuren von Männern und Frauen, wie sie in diesen drei Jahrhunderten gelebt haben.

Die Figuren wurden wohl beim Tod bedeutender Persönlichkeiten in großer Eile hergestellt; ihre Modellierung ist grob, aber sehr ausdrucksvoll. Krieger in Eisen- und Lederrüstung (Fig. 14, 16), Hofdamen in geschmückten Rökken, alles dies offenbart eine Kultur, die auf keinen Fall so primitiv war, wie man einst annahm. Die Abb. 3 zeigt eine Hofdame mit einer komplizierten Haartracht, sie spielt ein Musikinstrument, wohl eine Art Zither. Die Löcher für Augen und Mund wurden wahrscheinlich aus technischen Erwägungen angebracht, um diese großen Figuren im Ofen vor dem Reißen zu bewahren, doch steigern sie außerdem noch sehr ihren Effekt.

Die Gilden stellten eine Handwerkskunst von hoher Qualität her, und der Kontakt mit dem Festland muß sehr eng gewesen sein, obgleich der Einfluß der chinesischen Kultur noch nicht übermächtig war. Der Lebensstandard, wenigstens für die Aristokratie, war hoch. Die finstere Atmosphäre des Jōmon wich einer optimistischen, fröhlichen Diesseitigkeit; die Götter schienen wohltätig zu wirken in einer gastlichen Welt, und der Mensch hatte sein Schicksal in der Gewalt.

Fig. 16 – Haniwa-Krieger in Rüstung. 6. Jahrhundert. Höhe 133,1 cm. National-Museum, Tōkyō. Siehe oben

II. ASUKA-PERIODE 538–645

Während der frühen Jahrhunderte der japanischen Kultur hatte man die Vorstellung, daß das Gebiet, in dem der Kaiser gelebt hatte, durch seinen Tod entweiht wäre; aus diesem Grund wurde die Residenz immer wieder verlegt. In einer relativ natürlichen, wenig entwickelten Gesellschaft war dies verhältnismäßig leicht; aber als das Land reicher wurde und eine durchdachtere Organisation erhielt, wurde solch eine Verlegung der Hauptstadt in zunehmendem Maße schwieriger und kostspieliger. Zu Beginn des 6. Jahrhunderts befand sich die Hauptstadt an einem Ort namens Asuka in der Ebene von Nara, der jetzt ein kleines Dorf ist. Hier sollte Japans erste große kulturelle Revolution stattfinden.

Im vorigen Kapitel haben wir gesehen, wie es über Korea immer eine Möglichkeit zu Kontakten mit dem Festland gegeben hatte und wie diese während des 3. bis zum 6. Jahrhundert beträchtlich zunahmen. Damals kamen ganze Gruppen von koreanischen Handwerkern nach Japan, wo ihre überlegene Geschicklichkeit durch die Führer einer sich entwickelnden Gesellschaft, die sich der Notwendigkeit zu modernisieren bewußt waren, bereitwillig anerkannt wurden. In einer Atmosphäre politischer Wendungen stellten solche, vom Ausland eingeführten, Kenntnisse eine Macht dar. Die chinesische Schrift zum Beispiel war eine vitale politisch-kulturelle Waffe, und diese wurde in einem sehr frühen Abschnitt der japanischen Geschichte eingeführt. Die chinesische Sprache befähigte die Japaner nicht nur zum ersten Male Gelehrte zu werden, sondern sie verschaffte ihnen auch den Schlüssel zum Verständnis der ganzen Welt der chinesischen Leistungen, die die Japaner nachzuahmen trachteten.

Chinesische Schrift

China selbst war in den Jahrhunderten, die unmittelbar dem Fall der Han-Dynastie im Jahre 226 n. Chr. folgten, in eine Anzahl einander sich bekriegender Staaten zerfallen und von Unruhen überzogen. Nichtchinesische, nomadische Völker fielen vom Norden

Han-Dynastie in China

Fig. 17 – Hōryū-ji-Tempel, Nara. Gegründet 607. Vgl. Seite 33

her in das Land ein und besetzten große Gebiete des chinesischen Stammlandes. Nur im Süden, wo das Terrain für die Reiterkriegführung ungeeignet und das Klima der Gesundheit der Nomaden nicht zuträglich waren, konnten die Chinesen Reste ihrer Unabhängigkeit und Unverletzlichkeit bewahren. Für den oberflächlichen Beobachter mochte es scheinen, als ob die großen Tage der chinesischen Vergangenheit für immer dahin wären. Das Reich lag in Stücke, die alten politischen und religiösen Systeme, einst so unantastbar, erschienen jetzt völlig unzulänglich. Die hochorganisierte Verwaltungsmaschinerie, aufgebaut während der Han-Dynastie, war zusammengebrochen, und die Wirtschaft des Landes lag darnieder. In dieser Situation, die von den intelligentesten Chinesen als ein politisches, wirtschaftliches und moralisches Chaos angesehen werden mußte – als ein »dunkles Zeitalter«, erschien eine versöhnende Macht: die buddhistische Religion.

Buddhistische Religion

Dieser tiefgründige und bewegende Glaube entstand im 6. Jahrhundert v.Chr. in Indien. Langsam wanderte er über das unwirtliche Zentralasien bis nach dem Fernen Osten. Dort bereitete die Unzufriedenheit mit den traditionellen Glaubensvorstellungen, die sich nach den Eroberungen durch die Nomaden einstellte, einen fruchtbaren Boden vor für seine Verbreitung. So breitete er sich unter einer Bevölkerung, die nach jeder Aussicht auf Erleichterung aus ihrem unerträglichen Zustand griff, aus wie ein Feuer. Viele Faktoren – politische, emotionale, wirtschaftliche, wie auch religiöse – trugen zum raschen Erfolg des Glaubens bei. Das nomadische Volk, das sein Königreich in Nordchina errichtet hatte, mißtraute dem einheimischen Konfuzianismus und nahm den Buddhismus als seine offizielle Religion an. Durch die visuelle Wirkung der buddhistischen Paraphernalia, der Buddhas, Bodhisattvas und Jünger, der Paradiese mit ihren Bewohnern, wurden der einfache Mann ebenso angezogen wie der Gelehrte von der subtilen Philosophie. Für viele Gebildete von reflektierender Denkweise bedeutete die Möglichkeit, sich als eine letzte Zuflucht in die relative Sicherheit eines Klosters zurückzuziehen, eine verführerische Lösung. Vom 4.Jahrhundert an schufen zahllose chinesische Künstler, an-

Fig. 18 – Große Trias. Stein. Grottentempel von Yün-kang, Nordchina. Nördliche Wei-Periode (490–540). Vgl. Seite 36

Fig. 19 – Buddha in einer Nische sitzend. Stein. Grottentempel von Yün-kang, Nordchina. Nördliche Wei-Periode (490–540). Vgl. Seite 36

Tun-huang
Yün-kang
Lung-mên

Kontakte mit Korea

geregt durch den Buddhismus, bedeutende Werke, die zu den größten religiösen Kunstwerken der Welt gehören; und in den großen Grottentempeln von Tun-huang, Yün-kang und Lung-mên entstanden Monumente, die jedem Werk, das durch religiösen Eifer und künstlerische Fähigkeiten inspiriert wurde, an die Seite gestellt werden können. Die Koreaner ihrerseits lernten bald durch ihre Kontakte mit den Nomaden im Norden ihres Landes die neue Religion kennen, und einige werden den buddhistischen Glauben wahrscheinlich schon im späten 4. Jahrhundert angenommen haben. Die Japaner, die durch den Staat Pekche (japanisch: Kudara) lange lebhafte Kontakte zu dem koreanischen Festland unterhielten und sogar für eine Zeit einen Stützpunkt im Süden der Halbinsel besaßen, übernahmen den neuen Glauben durch die Koreaner. In diesem Zusammenhang muß daran erinnert werden, daß koreanische Gelehrte schon um das Jahr 400 nach Japan gingen.

Fig. 20 – Miroku (Maitreya). Koreanisch, Silla-Reich. Frühes 7. Jahrhundert. Duksoo-Palast-Museum. Vgl. Seite 39

Als das offizielle Datum der Einführung des Buddhismus in Japan wird gewöhnlich das Jahr 552 angegeben, in dem der König des koreanischen Königreiches Pekche an den japanischen Hof eine bronzene Buddha-Statue und buddhistische Schriften sandte. Jedoch ist dies wohl nur eines jener Daten, auf die wir gerne die schwer feststellbaren Wendepunkte unserer Geschichte fixieren. Der tatsächliche Prozeß dauerte sehr viel länger.

Sansom betrachtet die wirkliche Annahme des Buddhismus als das Ergebnis eines politischen Kampfes, der zwischen den konservativen Kräften, die den Kaiser umgaben, und den Parteien, die auf eine Reform drängten, entbrannte. Die ersteren waren die Anhänger der alten Götter und Glaubensvorstellungen, während die Reformer in dem koreanischen System eine Kultur und Organisation sahen, die weit fortgeschrittener war als die ihre. Verständlicherweise schrieben sie die koreanische Überlegenheit dem chinesischen Einfluß zu. Auf dem politischen Gebiet war für die probuddhistische Partei das chinesische System der zentralisierten Verwaltung besonders anziehend; sie sah darin ein Mittel, die widerspenstigen lokalen Häuptlinge ihrer schnell sich ausbreitenden Nation unter Kontrolle zu bekommen. Ebenso konnte dadurch die Steuer nachdrücklicher eingetrieben werden; und dies war für eine Zentralregierung, die so viel zu bewältigen suchte, von großer Wichtigkeit. Unter der Regentschaft des Prinzen Shōtoku (geb. 574, gest. 622), der für seine Tante, die Kaiserin Suiko regierte, wurde der Buddhismus fast als Staatsreligion eingesetzt. Bald umgingen die Japaner mit ihrer charakteristischen Gründlichkeit Korea, um sich direkt in den Mittelpunkt der buddhistischen Bewegung, nach China zu

wagen. Die ersten Missionen gingen an den Hof der Sui (eine relativ kurzlebige, aber bedeutende Dynastie [589–618], die der langen

ABB. 5 – Hōryū-ji-Tempel, Nara. Gegründet 607. *Vgl. Seite 33*

ABB. 6 – Kudara-Kannon. Holz. *Höhe 209,7 cm. Hōryū-ji-Tempel, Nara. Vgl. Seite 36*

ABB. 7 – Tamamushi-Schrein, Detail. Lack auf Holz. *64,8 × 35,6 cm. Hōryū-ji-Tempel, Nara. Vgl. Seite 43*

8

9

10

und glanzvollen T'ang-Dynastie [618–907] voranging). Nach Errichtung der T'ang-Dynastie 618 reisten zahlreiche Gesandtschaften direkt an den T'ang-Hof; solche offiziellen Missionen waren natürlich von großer Bedeutung. Doch waren sie vielleicht nicht so wesentlich wie die vielen privaten Reisen, die Gelehrte, Priester und Handwerker nach China unternahmen. Durch das Erlebnis Chinas in seiner vollen Macht von Ehrfurcht ergriffen, berichteten sie bei ihrer Rückkehr rühmend von dem Glanz des T'ang-Hofes, von der leistungsfähigen, zentralisierten Regierung eines ergebenen Reiches und dem daraus entstandenen Reichtum. So ging die Einführung des Buddhismus Hand in Hand mit der allmählichen Entwicklung einer japanischen Zentralregierung. Jedoch gelang es den Reformern nicht, die Autonomie der lokalen Häuptlinge zu zügeln, was sich für die spätere japanische Geschichte verhängnisvoll auswirkte.

Die neue Religion breitete sich rasch aus. In Japan waren die Gegner des Glaubens nicht so hartnäckig, wie es zum Beispiel die Konfuzianer in China waren. Es ist wichtig, sich in dieser Hinsicht daran zu erinnern, daß Japan, ganz anders als China, nicht so große Glaubensverfolgungen durchmachte. Dies sollte von größter Bedeutung sein, denn so blieben viele der schönen frühen Werke japanischer Kunst, die unter dem Einfluß der Chinesen entstanden, erhalten, wohingegen sie in China selbst durch Krieg und Verfolgung verschwanden. Es ist ein bewegendes Erlebnis, so große Kunstwerke in so außerordentlich kostbaren Materialien über mehr als tausend Jahre hinweg vollkommen erhalten zu sehen.

Nicht nur der Hof, auch viele große japanische Adelsfamilien traten als Schutzherren des neuen Glaubens auf. Der imposante Hōryū-ji-Tempel mit seiner Pagode, seiner Lesehalle und den um-

ABB. 8 – Miroku (Maitreya). Holz. *Höhe 124,5 cm. Kōryū-ji-Tempel, Kyōto. Vgl. Seite 39*

ABB. 9 – Gakkō-bosatsu (Mondglanz-Bodhisattva), *Assistenzfigur zum Yakushi-Buddha (Buddha der Heilkunst), dem Hauptkultbild im Yakushi-ji-Tempel, Nara. Um 720. Vgl. Seite 58*

ABB. 10 – Mädchenfigur, Ton. *Aus einer Figurengruppe im Hōryū-ji-Tempel, Nara. 711. Vgl. Seite 59*

Fig. 21 – Apsara (»Fliegender Engel«). Von der Vorderseite einer Nische. Grottentempel Yün-kang, Nordchina. Nördliche Wei-Periode (490–540). Vgl. Seite 40

laufenden Wandelgängen wurde bereits 607 n. Chr. (Fig. 17) gegründet, und um 692 n. Chr. gab es in Japan nicht weniger als 545 Klöster und Schreine. Der Übertritt der japanischen Inseln zum Buddhismus war vollständig und aufrichtig und bedeutete, wie im ganzen Fernen Osten, für die geistige und ästhetische Vorstellungskraft des Menschen eine ungeheure Befreiung.

Indem die Japaner den chinesischen Buddhismus annahmen, versuchten sie auch das chinesische System der Staatsorganisation zu übernehmen, jedoch vermochten sie zuweilen nicht die Grundlagen zu erfassen, auf denen die Chinesen ihren weitaus entwickelteren Staat aufgebaut hatten. Erst in jüngster Zeit haben wir im Westen eingesehen, wie unmöglich es für eine Nation ist, das politische System einer anderen *in toto* zu übernehmen. Obschon die japanischen Bemühungen und Leistungen ausgezeichnet waren, führte das fehlende Verständnis sie zu gewissen ernsthaften Irrtümern, welche einen fortwährenden Einfluß auf ihre spätere Geschichte aus-

Fig. 22 – Gigaku-Maske. Holz, bekrönt mit einem Diadem aus Metall. 28,5 × 20,9 cm. Vgl. Seite 41

übten. Die beiden bedeutungsvollsten waren die Stellung, die man der Monarchie gab, und die Fundamente, auf die die Zivilverwaltung aufgebaut wurde.

Im Laufe der Jahrhunderte hatte sich in China die Auffassung entwickelt, daß ein schlechter Herrscher durch seine Missetaten sein Recht zu herrschen, seinen »Auftrag des Himmels« verlor und das Volk das moralische Recht hatte, ihn durch einen anderen zu ersetzen. Dies wirkte wie eine ständige Kontrolle und Warnung. Die Japaner dagegen betrachteten ihren Kaiser als einen Gott, der von den Göttern abstammte und daher unverletzlich war. In den meisten Perioden japanischer Geschichte war der Kaiser kaum mehr als eine »Gallions-Figur«, während rücksichtslose Männer hinter ihm standen, die die eigentliche Macht ausübten. Diese konnten nicht leicht zur Rechenschaft gezogen werden. Die Folge davon war, daß – obwohl die kaiserliche Seite meist überlebte – wenn es zu einem Aderlaß kam, dieser immer sehr große Ausmaße annahm. Zweitens hatten die Chinesen seit der Han-Dynastie für den Verwaltungsdienst ein Auswahlsystem entwickelt, das auf einer Reihe von Examen beruhte und das in den T'ang-Jahrhunderten außerordentlich gut organisiert und am leistungsfähigsten war. So konnte, wenigstens theoretisch, jeder Mensch durch Fleiß die höchsten Positionen im Lande erreichen. Der japanische Adel hingegen, der das Schicksal der jungen Nation beherrschte, machte die Ämter des höheren Verwaltungsdienstes für seine eigene Klasse erblich. Dies war ein verhängnisvolles Mißverständnis und machte das chinesische Konzept völlig unwirksam. Deshalb besaß das japanische öffentliche Leben weder eine breite Basis, noch war es stabil.

Bewunderung für China Aus dieser Atmosphäre der Bewunderung für China und den chinesisch-koreanischen Buddhismus überrascht es nicht, daß die früheste Kunst in Japan von Vorbildern vom Festland abhängig war. Dies wird unmittelbar an einer der frühesten Statuengruppen sichtbar, ABB. 4 an der bronzenen Shaka-Trias im Hōryū-ji-Tempel zu Nara (Shaka ist eine japanische Bezeichnung für Shâkyamuni, den historischen Buddha). Diese Statue wurde mit verlorener Form *(cire perdue)* gegossen, und eine fromme Inschrift auf ihrem Rücken besagt, daß ein gewisser Shiba Tori sie im dritten Monat des Jahres 623 n.Chr. gemacht hat, in Erfüllung eines Gelübdes, das die Gemahlin des zwei Jahre zuvor gestorbenen Prinzen Shōtoku abgelegt hatte. Von Toris Großvater wird behauptet, daß er im Jahre 522 n.Chr. als ein Sattelmacher von Korea nach Japan gekommen sei und auf Grund seiner Erfahrungen mit bronzenen Pferdegeschirren mit den Problemen der Metallbearbeitung vertraut gewesen sein dürfte.

Grottentempel Der Typus der strengen und archaischen Trias hat seinen Ursprung FIG. 18, 19 in China in den Figuren der großen Grottentempel von Yün-kang und Lung-mên aus dem 5. und 6. Jahrhundert. Die Haltung der Statue ist steif und rein frontal, als ob sie, wie die chinesischen Vorbilder, von vorn und hoch oben in einer Wandnische gesehen werden sollten. Die Hauptfigur, den Shaka darstellend, hat die rechte Hand in der Geste der Schutzgewährung erhoben, die auch »fürchtet euch nicht« bedeutet, während die andere Hand die Geste der Wunschgewährung vollzieht. Die Figur gleicht fast einer vollkommenen Pyramide. Sie erhebt sich über einer Basis mit schematisierten Falten, die gleich einer gefrorenen Kaskade über den Sockel herabfallen, und steigt auf zu dem rundlichen, aber sensitiven Gesicht mit seinem »archaischen« Lächeln. Der Hals ist ein Zylinder,

der nur dann grob aussieht, wenn man ihn isoliert betrachtet. Dahinter, gleich einem Schmuckrahmen, der die klaren Linien der
Zentralfigur einfaßt, befindet sich ein flammenförmiger Nimbus,
der oben zu einer feinen Spitze ausläuft, eine Form, die von der
Steinnische übernommen wurde, an der die Spitze nach vorn geneigt war. Dieser Nimbus ist mit seinen Flammen und kleinen sitzenden Buddha-Figuren sowohl im Entwurf als auch in der Ausführung ein Kunstwerk von besonderer Schönheit. Viele Historiker sehen
darin eine Weichheit und Feinheit, die sie als ein Charakteristikum
der japanischen Kunst deuten. Die beiden Assistenz-Figuren sind
fast identisch und stellen Bodhisattvas dar, die populären Gottheiten
des Mahâyâna-(Großes Fahrzeug-)Buddhismus. Dies sind Wesen,
die durch eine Reihe guter Leben hindurchgegangen und nun be-
rechtigt sind, in das *nirvâna,* die endliche Erlösung von dieser Welt
des Leidens, einzutreten; aber aus Mitleid mit der sich um ihr Leben
mühenden Menschheit entschlossen sie sich, auf der Erde zu bleiben,
um anderen zu helfen, das Ziel zu erreichen. Sie stehen auf Lotosblüten, die selbst eine starke buddhistische Symbolbedeutung haben.
Zimmer faßt eine umfangreiche Sammlung von Theorien über die
Wichtigkeit des Lotos zusammen, wenn er sagt: »Das Lotossymbol,
wie der Sockel des Brahmâ, erlangt im Laufe der Zeit die Bedeutung
eines Thronsessels für alle Gottheiten, die die höchste transzendentale Weisheit repräsentieren...«[1]
Trotzdem es sehr deutlich ist, daß diese Gruppe von den Traditionen
des Festlandes herkommt, wollen japanische Historiker in ihrer Eleganz und Kunstfertigkeit, in der Verfeinerung und dem Sinn für
Muster Qualitäten erkennen, die dann zu den Charakteristika der
japanischen Kunst werden. Der Guß ist von bemerkenswerter Qualität, und die Details sind von einer Klarheit, wie sie kaum in China
zu finden ist. Der Ausdruck auf den Gesichtern ist von tiefer Spiritualität, und auch an die Falten der Gewänder wandte der Bildhauer große Sorgfalt, um gerade soviel Abwechslung herzustellen,
daß der Eindruck von Erstarrung vermieden wird. Die Steigerung

[1] H. Zimmer, »The Art of Indian Asia«. Ed. Joseph Campbell. 2 vols. (Bollingen Series
39), New York 1955 (B)

von den reich ornamentierten Assistenzfiguren zu der ungeschmückten Figur des Buddha im Mittelpunkt ist außerordentlich wirksam herausgearbeitet. Die Art, in der alle drei Figuren über einem schmalen Sockel angeordnet sind, vermittelt einen Eindruck von überirdischem Flug und Vergeistigung.

ABB. 6 Eine noch ungewöhnlichere Figur ist die Kudara-Kannon, ebenfalls im Hōryū-ji-Tempel (Kudara ist der japanische Name für den Staat Pekche in Korea). Es ist eine Holzstatue, an verschiedenen Stellen sind noch Spuren von Lack und Farbe erkennbar. Auf dem Festland ist nichts Vergleichbares erhalten geblieben, weder in Korea, noch in China selbst. Der Stil dieser überlängten, geheimnisvollen Gottheit ist von der bronzenen Shaka-Trias mit ihren Merkmalen nordchinesischer Steinskulptur so verschieden wie nur möglich. Die Anordnung des Faltenwurfs von vorn nach hinten ist höchst ungewöhnlich. Es ist unter Gelehrten üblich geworden, als erwiesen anzunehmen, daß diese Statue die Einflüsse aus dem Süden Chinas widerspiegelt, wo, infolge der Nomadeninvasion in den Norden, der chinesische Staat Liang die chinesischen Traditionen lebendig erhielt. Doch haben wir aus dieser Periode nur sehr wenige buddhistische Statuen aus dem Süden, und keine davon ist aus Holz. Was erhalten geblieben ist, scheint mehr dem nördlichen Stil anzugehören als dem Stil der Kudara-Kannon. Die eigentümliche Längung erinnert an viele Grabfiguren der Wei-Dynastie. Man nimmt

Einfluß aus Korea an, daß diese Figur entweder aus Korea nach Japan gebracht wurde, oder von einem koreanischen Einwanderer in Japan gemacht wurde. Wenn man nach einer Parallele sucht, so könnte man sagen, daß die Behandlung des Faltenwurfs als breite flache Bänder eine Reminiszenz an die Marmorskulpturen aus der chinesischen Sui-Periode (589–618) darstellt, jener kurzen Periode, die China einigte und die zur langen T'ang-Periode überleitete.

Trotz der scheinbaren Unmittelbarkeit der Inspiration und Einfachheit im Entwurf ist dieser Bodhisattva des Mitleidens eine Statue von großem Raffinement. Ein Air mystischer Frömmigkeit gibt ihr die transzendentale Ruhe und Entrücktheit, die sie von den Hauptwerken, die aus dieser Periode auf uns gekommen sind, unterscheidet.

Die frühesten Exemplare buddhistischer Skulptur aus dieser Periode sind ebenso mannigfaltig wie erfüllt von Leidenschaft und Intensität. Von ausgezeichneter Qualität in seiner reinen Eleganz und Grazie ist der Miroku (Sanskrit: Maitreya) oder »Buddha der Zukunft«, der sich jetzt im Kōryū-ji-Tempel in Kyōto befindet. Die Statue ist etwas weniger als lebensgroß und aus einem einzigen Stück klar gemaserten roten Kiefernholzes hergestellt, während bei anderen früheren Holzskulpturen Kampferholz verwandt wurde. Obwohl wahrscheinlich einst in Lack gefaßt, trägt doch das jetzt nackte Holz mit seiner bloßgelegten Maserung zum eleganten Fluß des Bildwerkes bei, besonders in der Rundung der Wangen. Das Vorbild zu diesem höchst reizvollen Werk ist in der koreanischen Plastik zu suchen, wie klar an der Bronzestatue in der Nationalsammlung in Korea (Seoul, Duksoo-Palast-Museum) zu erkennen ist. Die geschmeidige Grazie und der gütige Ausdruck spiegeln eine reine Empfindung der Verehrung wider, eine reine religiöse Atmosphäre, die von den dunkleren Tönen der späteren buddhistischen Gedanken noch unbeeinflußt ist. Der Miroku ist viel rundplastischer gearbeitet als die Bronzestatue von Tori, und in einer gewissen Hinsicht repräsentiert er das Göttliche, das, eine neue Zuversicht verheißend, in die Welt tritt. Wie bei den meisten frühen Bildwerken ist der Blick nach innen gerichtet, auf seine eigene vornehme geistige Existenz, doch dabei zeigt er eine einzigartige Demut und Zurückhaltung.

Diese Statuen sind zu einer Zeit entstanden, als Japan von dem Vorbild seiner großen Nachbarn gefesselt war; so kann man an keiner von ihnen die eigentlichen Merkmale japanischer Kunst beurteilen. Sie zeigen nur, wieviel eine Nation, die mit Glaubens- und Entschlußkraft begabt ist, zu leisten vermag. Immer wieder während der ganzen japanischen Geschichte macht sich die Eigenschaft, den Blick nach draußen zu richten, bemerkbar und verleiht der Kultur dieser Nation ihre grundlegende Ambivalenz.

Die Tori-Trias und die Kudara-Kannon sind nur zwei Beispiele aus dem großen Schatz der frühen japanischen Kunst im Hōryū-ji-Tempel. Ein frühes Beispiel buddhistischer Metallarbeit ist ein 4,5 m langes Banner aus vergoldeter Bronze, ausgefüllt von einem

ABB. 8

FIG. 20

schönen, in fließenden Linien gegebenen Muster aus ausgeschnittenen Figuren, die mit einer Arabeskenkante umgeben sind. Die Figuren sind jedoch nur auf der einen Seite eingraviert. Die ganze Oberfläche ist von buddhistischen Figuren ausgefüllt, vor allem mit FIG. 21 *apsaras,* himmlischen Wesen, die Musikinstrumente spielen oder den Buddhas in den verschiedenen Paradiesen Opfer darbringen. Der Ursprung dieser Figuren ist das China der Vor-T'ang-Periode, und man findet zahllose ähnliche Figuren an den Decken und rund um die Nischen der Grottentempel. Der Glaube an die Existenz solcher schönen Himmelsbewohner war für den einfachen Menschen ein Beweggrund, an die Seligkeit des Buddhisten im künftigen Leben zu glauben. Der Ursprung dieses Glaubens wird wohl auf eine der *jâtaka*-Erzählungen oder Geschichten aus dem früheren Leben Buddhas zurückgehen. In einer von diesen Erzählungen zum Beispiel wird berichtet, wie Buddha einen Menschen, der sich besonders den Sinnesfreuden hingab, bekehrte: er zeigte ihm eine Vision vom Paradies, dort waren die Bewohner viel schöner als die, denen jener Mann auf Erden zugetan war. Das innerhalb einer strengen Kante frei fließende Ornament ist sehr wirkungsvoll; die Silhouettentechnik geht unmittelbar auf die Zeit der chinesischen Han-Dynastie zurück. Die Empfindung von Bewegung, von Leben war bereits jetzt eine der wichtigsten Forderungen der Malerei, und die Japaner haben sie hier äußerst wirkungsvoll in Metall verwirklicht. Wenn die zentralen Gottheiten, insbesondere die Buddha-Figuren, notwendigerweise in sich ruhend und ungeschmückt dargestellt wurden und ihr Körper dem Bereich des menschlichen Verstandes entrückt war, so konnte der Künstler seine Geschicklichkeit und Liebe zur Bewegung in diesen Assistenzfiguren beweisen, die sich in Anbetung um Buddha drängten, so etwa wie es die lebenden Verehrer der damaligen Zeit getan haben dürften. Die Geschicklichkeit, den Faltenwurf mit vollendeter Leichtigkeit auszudrücken, zeigt sich an jedem Material in gleicher Weise, eine Eigenschaft, die die Japaner mit den Chinesen teilen.

Im Verlauf ihrer Kunstgeschichte haben die Japaner immer ein besonderes Interesse an facialen Charakteristika gezeigt. So schufen sie auf der einen Seite einige der schönsten Porträtbilder des Fernen Ostens, auf der anderen Seite zeigten sie ein besonderes Interesse am grotesken Ausdruck des menschlichen Gesichts. Die Masken, für die die Japaner berühmt sind, wurden in Bühnenvorführungen oder in religiösen Tänzen und Zeremonien benutzt. Die Mehrzahl der buddhistischen Figuren gehören einigermaßen bestimmten Typen an, die sich allerdings, wenn auch nur ziemlich langsam, verändern. Dies Festhalten an einem bestimmten Typ entspringt dem Glauben, daß aus Gründen der religiösen Wirksamkeit die Größe und körperlichen Charakteristika der Buddha-Figuren einem bestimmten Kanon entsprechen sollten, denn nur dann würden sie die religiösen magischen Kräfte derer, die sie darstellen, verkörpern. In den Masken aber konnte die Phantasie des Schnitzers sich frei entfalten. Die Tänze, für die solche Masken gebraucht wurden, wurden in großen Tempeln und Schreinen in strengen Ritualen vorgeführt, indem man die Tänze der kulturell fortgeschritteneren Nationen auf dem Kontinent nachahmte. Die eindrucksvolle Musik, für die die Gigaku-Maske von Fig. 22 hergestellt wurde, hatte ihren Ursprung wahrscheinlich in China und ist in Korea und Japan erhalten geblieben. Es ist möglich, daß in China ähnliche Masken gebraucht wurden, aber keine hat sich erhalten, noch sind sie in anderen Kunstformen des Festlandes dargestellt. Dies brachte einige Historiker auf die Vermutung, daß die japanische Liebe zu Masken ein Charakteristikum ist, das eher vom Pazifik als vom asiatischen Festland übernommen wurde, und daß darin Spuren des südlichen Blutes der Japaner zur Geltung kommen.

Gewiß zeigen die Japaner in solchen Masken, die nahe an die Karikatur heranreichen, einen Sinn für Humor, der un-chinesisch ist. Die Chinesen sind in ihrem täglichen Leben ein humorvolles Volk, aber sie zeigen ihn selten in ihrer Kunst. Bei den Japanern ist das Umgekehrte der Fall. Außerdem treiben die Japaner ihre Anteilnahme oft bis zu einem Extrem, so, als wenn sie, nachdem sie etwas gelernt haben, es nun unbedingt noch tiefer als ihre Lehrer erforschen wollten.

In die Asuka-Periode gehören auch die frühesten der erhalten gebliebenen Beispiele japanischer Malerei, wie die Lackmalereien auf

Masken

FIG. 22

Lackmalerei

dem Tamamushi- oder »Käferflügel«-Schrein (wörtlich: Pracht-käfer-Schrein), der ebenfalls im Schatz des Hōryū-ji-Tempels auf-bewahrt wird. Der Name rührt von den Käferflügeln her, die unter der durchbrochenen Metallarbeit auf dem Rahmen und den Kanten angebracht sind und die mit einem matten Purpurglanz jeden auf-treffenden Lichtstrahl reflektieren. Das berühmteste dieser Paneele illustriert wiederum eine *jâtaka*-Geschichte. Sie berichtet, wie Buddha in einem früheren Leben eines Tages sich auf einer Wanderschaft über Land befand. Dabei geschah es, daß er auf eine ausgehungerte Tigerin mit ihren Jungen traf, und aus Mitleid mit aller lebendigen Kreatur gab er sein Leben hin, um ihren Hunger zu stillen.

ABB. 7, FIG. 23

Die verschiedenen Teile dieser dramatischen Geschichte – das Sich-Entkleiden, sein Sprung hinunter in das Lager des Tieres und sein schließliches Opfer – sind alle auf demselben Bild gezeigt, drei gegen denselben Hintergrund übereinandergestellte Szenen gleichzeitig. Eine Technik, die in früher buddhistischer Kunst, sowohl in China als auch in Japan, häufig angewandt wurde. Diese Technik ist auch auf den *jâtaka*-Darstellungen auf den Wänden des Grottentempels von Tun-huang im westlichen Teil Chinas zu finden. Die interes-santen Landschaftskonventionen, die hier zu sehen sind, haben eine lange Geschichte, die zurück bis in die Han-Zeit, ja bis in die Vor-Han-Zeit reicht, während sich die flachen, spachtelförmigen Felsen von indischen Felsdarstellungen herleiten.[2] Gewiß erscheinen sie bereits im China der Vor-T'ang-Periode, und das berühmte Bei-spiel ist der bekannte Sarkophag aus dem späten 6. Jahrhundert im Kansas City Museum. Dort kommt ein ähnlicher Felsentyp vor, aber das Laubwerk ist in einer komplizierteren sowie entwickelteren Stilisierung wiedergegeben. Der Bambus auf dem Tamamushi-Schrein dagegen ist sehr naturalistisch dargestellt, doch stehen die schematisierten Felsen und das naturalistische Laubwerk in keiner

FIG. 24

[2] S. M. Sullivan, »The Buddhist Landscape Painting in China«, London 1962, S. 129ff.

Fig. 23 – Tamamushi-Schrein. Hōryū-ji-Tempel, Nara. Siehe oben

Weise im Widerspruch. Die Figuren spielen ihr Drama mit Ruhe und entschlossener Sicherheit. Die schlanke Figur des Buddha in einfachem weißem Gewand hebt sich vollkommen von den reich geschmückten Bodhisattvas ab, die auf den anderen Paneelen dargestellt sind.

Wir begegnen hier dem östlichen Wirkungsbereich der chinesischen Theorien über die Kunst der Malerei, die die japanischen Künstler während ihrer Besuche in China aufgenommen haben dürften. Schon im 5. Jahrhundert hatte der berühmteste der frühen Theore-

Fig. 24 – Seite eines Steinsarkophags. Um 525. Nelson-Gallery of Art, Kansas City. Vgl. Seite 43

tiker, Hsieh Ho, betont, daß es für einen Künstler notwendig sei, seinem Werk den »Lebensatem« einzuhauchen, um dadurch ein Gefühl der Bewegung zu schaffen. Die Japaner vollendeten dies auf sehr wirkungsvolle Weise, denn sie fügten der Vollkommenheit der Erscheinung die Empfindsamkeit und zarte Innigkeit hinzu, die ihre Einstellung zur Kunst charakterisieren. Beiläufig muß bemerkt werden, daß fernöstliche Malerei fast unveränderlich in Tusche oder Wasserfarben ausgeführt wurde. Ölmalerei gibt es nicht, und für den üblichen Typ des Rollbildes, das aufgerollt und bequem aufbewahrt werden kann, wäre Ölmalerei völlig ungeeignet gewesen. Jedoch in der Lackkunst kommen die Japaner (und auch die Koreaner) den westlichen Techniken nahe. Sogar nach dem Standard westlicher Ölmalerei beurteilt, zeigen diese Paneele eine für diese Zeit bemerkenswerte Vollendung.

Die Kunst der Asuka-Periode wurde nicht durch einen Mystizismus geschaffen, vielmehr in jener Atmosphäre der Bewunderung und des Wunders, die die Essenz der wahren Religion und großer religiöser Kunst darstellt. Nachdem die Japaner einmal etwas als ein höheres Ideal anerkannt hatten, verwandten sie ihre ganze Energie und Zielstrebigkeit, für die sie berühmt geworden sind, darauf, es zu erlangen. Zusammenfassend kann man sagen, daß sie, was immer zu ihnen kam, ohne Frage akzeptierten. Niemals wieder sollte ihre buddhistische Kunst so natürlich und unkompliziert sein. Mit der tieferen Einsicht kamen die Schwierigkeiten, die die eigenen Charakteristiken ihrer Kunst zur Entfaltung brachten.

Die japanischen Reisenden, die nach China kamen, erlebten zum ersten Male den Anblick einer großen Hauptstadt eines mächtigen Reiches, die reich, ausgedehnt und hochorganisiert war. Denn in *Ch'ang-an* Ch'ang-an, der chinesischen Hauptstadt der T'ang-Dynastie (618 bis 907), herrschte ein kosmopolitisches Leben. Große Dichter und Maler bereicherten ihre künstlerische Atmosphäre. Religiöse Toleranz und intellektuelle Neugier charakterisierten das Wesen seiner Bewohner, zum mindesten im 8. Jahrhundert. Fremde verschiedener Hautfarben und Glaubensbekenntnisse drängten sich durch die Straßen und verliehen der Stadt einen Hauch von Exotik. Große Paläste, schöne Tempel und der weite Komplex der Verwaltungsgebäude bildeten das imposante Zentrum der Stadt, während die geringeren Wohnungen der gewöhnlichen Bürger, ihre Läden und Märkte, Gasthäuser und Vergnügungsviertel sich, soweit das Auge reichte, geräuschvoll um diesen Mittelpunkt drängten. Nichts nur entfernt Vergleichbares existierte zu dieser Zeit in Japan, und diese imponierende Größe rief in den Japanern den Wunsch wach, dem chinesischen Beispiel nachzueifern. So schickten sie Gesandtschaften aus, die manchmal aus fast fünfhundert Personen bestanden, entschlossen, von all den Wundern, die sie zu sehen bekamen, soviel und so schnell sie nur konnten, zu lernen.

Außerdem muß man bedenken, daß, während Ch'ang-an allein ungefähr 2 Millionen Einwohner beherbergte, zu dieser Zeit ganz Japan nur von ungefähr 6 Millionen Menschen bewohnt war und die Hilfsquellen der Inseln um vieles geringer als die Chinas waren. Jedoch gingen die Japaner, von dem Gefühl der Notwendigkeit durchdrungen, mit aller Ernsthaftigkeit daran, ein Miniatur-China zu errichten.

Hauptstadt Nara Das wichtigste Ergebnis dieser Bemühungen war Nara, eine Stadt im chinesischen Stil, ungefähr 4,5 × 5 km im Umfang und damit ungefähr ein Viertel von der Größe Ch'ang-ans, die im Jahre 710

Fig. 25 – Gravierung auf einem Lotosblatt vom Sockel des Großen Buddha, Tōdai-ji-Tempel, Nara. Späte Nara-Periode. Vgl. Seite 55

nach dem zur Regel erhobenen, für chinesische Städte typischen Gittermuster errichtet wurde. Und noch heute, nachdem ihre Zeit als Regierungshauptstadt seit mehr als tausend Jahre vorbei ist, bleibt genug von den alten Tempeln und Parks – bewahrt mit der Sorgfalt, für welche die Japaner bekannt sind –, um die Atmosphäre einer Stadt aus der Zeit der T'ang-Dynastie lebendig werden zu lassen. Hier in der architektonisch großartigen Umgebung begannen die Japaner nun zum ersten Male die ihnen neue chinesische Kultur – Sprache, Literatur, Religion, Philosophie, Verwaltung und Kunst – ernsthaft zu studieren und aufzunehmen. Es ist kaum zu verstehen, daß diese Anstrengungen, die dazu nötig waren, sie nicht zugrunderichteten. Für die Künste und Handwerker wurden offizielle Ämter eingerichtet und dem Hofministerium oder dem Finanzministerium unterstellt, die die Herstellung von Gemälden, Bronzegegenständen, Lackwaren, gewebten Textilien usw., sowohl für den augenblicklichen Gebrauch als auch zur Förderung und Übung der Handwerker zu beaufsichtigen hatten. Die japanischen Künstler und Handwerker waren so gelehrig, daß es sogar für Experten oft schwierig ist, zwischen Stücken, die in China, und solchen, die einige Jahre später in Japan angefertigt worden waren, zu unterscheiden.

Mit dem Studium des Buddhismus kam eine tiefere Einsicht in die Philosophie, Ethik und Metaphysik des durch China hindurchgegangenen indischen Glaubens. Mit dieser tieferen Kenntnis entstand auch gleichzeitig das Sektierertum, eine natürliche Folge aller intensiven Studien dieser Art. Die wichtigsten der neuen, frühen Sekten *Sekten* waren die Hossō- und die Ritsu-Sekte. Aber es schlichen sich auch Mißbräuche ein. Das steuerfreie Land, das an die sich vermehrenden Klöster abgegeben wurde, schmälerte die Regierungseinkünfte, und Japan war weder reich noch groß genug, um diesen Luxus zu recht-
Einfluß der Priester fertigen. Als die Priesterschaft an Reichtum und Einfluß gewann, begann sie sich aktiv in die Politik einzumischen. Das berüchtigte
Dōkyō Beispiel dafür war der Priester Dōkyō, fast so etwas wie ein japanischer Rasputin, der der Liebhaber der Kaiserin war. Um 770 plante er, sich selbst zum Kaiser zu machen, was ihm jedoch mißlang. Der wirtschaftliche Vorteil, den der Eintritt ins Kloster mit sich brachte, zog viele Menschen an, die durch ihre Geburt von hohen Zivilämtern ausgeschlossen und auch für das religiöse Leben nicht geeignet waren. Sie sahen die Kirche als eine Art Sicherheit an und als ein Mittel, um schnell zu Reichtum und Macht zu gelangen. Durch sie entstand ein Parasitentum, das häufig die guten Absichten beeinträchtigte.
Das Kojiki Die ausgedehnte Literatur Chinas diente der japanischen als Modell; die erste »Geschichte« Japans, das *Kojiki* oder »Bericht über alte Begebenheiten«, wurde 712 vollendet. Auch der Konfuzianismus kam um diese Zeit nach Japan, obgleich er weit weniger Einfluß auf das japanische Leben ausübte als der Buddhismus. Zwei der konfuzianischen Grundideen wurden von Japan bereitwillig aufge-

ABB. 11 – Nikkō-bosatsu (Sonnenglanz-Bodhisattva). Ton. *Späte Nara-Periode. Höhe 179,2 cm. Tōdai-ji-Tempel, Nara. Vgl. Seite 60*

ABB. 12 – Porträtstatue des Priesters Ganjin. Trockenlacktechnik. *Späte Nara-Periode. Höhe 80,1 cm. Vgl. Seite 62*

13

nommen: die kindliche Pietät und die Ahnenverehrung. Beide waren dem japanischen Gedankengut dieser Periode verwandt. Zwar mag das trockene Moralisieren der konfuzianischen Praxis die sinisierten Gelehrten oder die herrschende Klasse angezogen haben, doch für den gewöhnlichen Menschen in Japan bedeutete er wenig; denn seine religiösen Vorstellungen wurden durch den Buddhismus angeregt.

Der Ehrgeiz der Japaner, einen auf chinesischer Grundlage organisierten Staat zu etablieren, hatte nur begrenzten Erfolg. Die Organe der zentralen Regierung scheinen ziemlich gut funktioniert zu haben, aber das provinziale Verwaltungssystem, welches China so erfolgreich zusammenhielt, entwickelte sich in Japan nicht, denn es gab keine einzige Stadt von einigem Umfang, die als lokales Zentrum hätte fungieren können. Ein organisiertes Merkantil-System, das wohl als einigende Kraft hätte wirken können, existierte zu dieser Zeit in Japan ebenfalls nicht.

Obgleich der Adel und die Priesterschaft sich eines verhältnismäßig bequemen Lebens erfreuten, war das Volk weniger glücklich daran. Am meisten verhaßt von all den Anforderungen, die an die bäuerliche Gesellschaft gestellt wurden, waren vermutlich der Frondienst und die Zwangsarbeit. Hinzu kam, daß das Land dadurch, daß es gezwungen war, eine neue Hauptstadt zu bauen, verarmte. Die verelendeten Bauern sahen sich zwei Alternativen gegenüber. Entweder konnten sie Halbsklaven werden und auf den Besitzungen der Tempel oder der Großgrundbesitzer arbeiten, oder sie mußten sich, von Hunger und den Zwangsabgaben getrieben, der Räuberei zuwenden. Während der ganzen Periode durchstreiften bewaffnete Banden das verhältnismäßig unentwickelte Land und waren eine ständige Gefahr für dessen Bewohner. Langdon Warner gibt in seinem Buch »The Enduring Art of Nara« ein lebendiges Bild vom Leben in der Nara-Periode.

Adel und Priesterschaft

ABB. 13 – E-inga-kyō (»Illustrierte Sutra von Ursache und Wirkung«), Ausschnitt. Darstellend die Versuchung Buddhas durch die Töchter Mâras, des Bösen. Tusche und Farbe auf Papier. *8. Jahrhundert. Höhe 26,7 cm. Vgl. Seite 64 f.*

ABB. 14 – Kichijō-ten (»Göttin des Glücks«). Tusche und Farbe auf Hanf. *8. Jahrhundert. Yakushi-ji-Tempel, Nara. Vgl. Seite 66, 96*

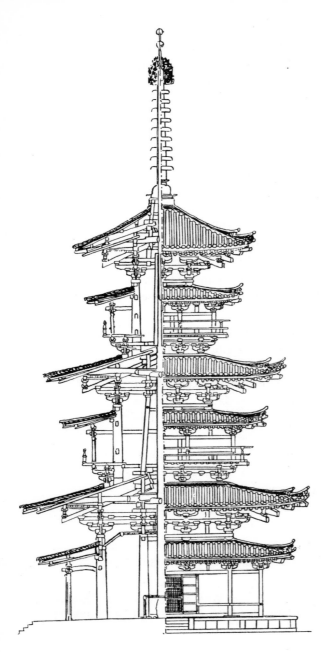

*Fig. 26 – Ost-Pagode des Yakushi-ji-Tempels, Nara. 8. Jahrhundert.
Vgl. Seite 57*

Sowohl die Anmaßung der Herrscher von Nara als auch die religiöse Leidenschaft des Volkes zu dieser Zeit verkörpern sich in dem Entschluß, für den Tōdai-ji-Tempel zu Nara eine große Buddhafigur, über 16 m hoch, zu gießen. Dieser »Große östliche Tempel« wurde das Hauptquartier der Kegon-Sekte, die 736 nach Japan kam. Die Kegon-Lehre konzentrierte sich auf die Verehrung des Vairocana-(japanisch: Rōshana-)Buddha, des Universal-Buddha, von welchem alle anderen Buddhas, einschließlich Shâkyamuni, des historischen Buddha, nur Manifestationen waren. Der Tōdai-ji-Tempel erlangte große Macht und war während dieser Periode ohne Zweifel das wichtigste religiöse Zentrum; sein Einfluß reichte über Nara hinaus, bis zu seinen Tempeln in den Provinzen. Eine Pockenepedemie hatte Kaiser Shōmu-tennō veranlaßt, dieses große Monument zu errichten, und nach einer Reihe von Fehlschlägen wurde die Figur schließlich im Jahre 749 vollendet. Fast eine halbe Million Kilo Metall wurden für ihren Guß gebraucht, und es wurde – fast erschien es übernatürlich und wie eine göttliche Fügung – in einer entlegenen Provinz eine Goldmine entdeckt, die ungefähr 230 Kilo Gold ergab, was es den Gießern ermöglichte, die Statue zu vergolden. Das Gebäude, das diesen Koloß aufnehmen sollte, war 86,62 m lang, 66,36 m breit und 59,23 m hoch – das größte hölzerne Bauwerk, das jemals gebaut wurde. Es wurde im 12. Jahrhundert niedergebrannt, doch das gegenwärtige Gebäude ist, obgleich es nur zwei Drittel der Größe des ursprünglichen besitzt, noch immer das größte hölzerne Gebäude unter einem Dach. Unglücklicherweise wurde auch die Statue durch das Feuer beschädigt und nachher nur sehr ungeschickt repariert. Daher ist sie, abgesehen von ihrer Größe, nicht bedeutend. Nur wenige der originalen Lotos-Blütenblätter, die die Basis schmückten, blieben erhalten; einige FIG. 25 davon haben eingravierte Figuren von großer Grazie und künstlerischer Wirkung, wonach man sich noch eine Vorstellung vom ursprünglichen Zustand machen kann.

Der Kaiser weihte die Statue 752 mit einer rührenden Zeremonie von großer Feierlichkeit und großem Glanz, die der Figur Leben einhauchen sollte. Der Enthusiasmus für den neuen Glauben, der durch dieses Ereignis am eindringlichsten veranschaulicht wird, läßt erkennen, wie der Buddhismus nun bereits zu einer nationalen Religion geworden war. Der Shintō-Glaube aus den alten Zeiten scheint für eine Weile seinen Glanz verloren zu haben, oder, um genauer zu sein, assimiliert worden zu sein. Nichtsdestoweniger behielten die Japaner doch die Gewohnheit bei, zu den alten Göttern mit noch immer echtem Respekt zu beten. Im Laufe der folgenden Jahrhunderte wurde der Shintō-Glaube von selbst außerordentlich elastisch.

Der Bau der Halle und der Guß des Großen Buddha zeigen, wie befähigt die Japaner waren, eine Gemeinschaft geschickter Künstler und Handwerker aus allen Kunst- und Handwerksbereichen zu bilden. Diese Lebenskraft, die sich wohl am besten unter emotionalem Ansporn entwickelt, ist für dieses Volk zu allen Zeiten charakteristisch. Außerdem strömten noch Einwanderer aus Korea nach Japan ein, besonders nach dem Fall der koreanischen Königreiche Pekche und Kōguryō (japanisch: Kudara und Kōkuri), und der Großvater jenes Mannes, der den Guß des Großen Buddha beaufsichtigte, gehörte zu diesen Einwanderern. Doch innerhalb von zwei Generationen beherrschten die Japaner die grundlegenden Handwerkstechniken meisterhaft. Die Anregungen mögen sie von China bekommen haben, doch waren sie in hohem Maße fähig, in allem, wo es ihnen darauf ankam, ihre eigene künstlerische Persönlichkeit auszudrücken.

Ein weiteres Beispiel für die Unterstützung, die dem Buddhismus durch den Hof zuteil wurde, stellt das Shōsō-in-Schatzhaus dar. Im Jahre 756 gab die Kaiserin die vollständige Ausstattung des kurz zuvor gestorbenen Kaisers Shōmu (704–756) an den Tōdai-ji-Tempel in Nara. Diese große Sammlung umfaßt beinahe 10000 Objekte von Waffen und Möbeln bis zu Textilien und Keramik; sie wird in einer großen, auf Pfählen errichteten Halle aufbewahrt. Dieses älteste »Museum« der Welt blieb die Jahrhunderte hindurch unberührt, geschützt nur durch den allgemeinen Respekt vor dem kaiserlichen Haushalt und seinen Siegeln auf den großen Türen der Halle. Bis vor kurzem wurde sie nur einmal im Jahr, zur traditionellen Lüftung im Herbst geöffnet; seit jüngster Zeit aber ist eine Auswahl des Schatzes im Nationalmuseum in Nara zur Schau gestellt, während die zurückgebliebenen Gegenstände nach und nach überprüft und katalogisiert werden. Obgleich die meisten dieser

Fig. 27 – Shōsōin, Tōdai-ji-Tempel, Nara. Vgl. oben

Objekte von chinesischer Herkunft sind und von einer Qualität, wie sie einem kaiserlichen Haushalt entspricht, stammt doch eine Anzahl von ihnen aus japanischer Herstellung, wobei man den chinesischen Prototypen nacheiferte. Dazu gehören einige Keramikstücke und einige gemalte Schirme (siehe unten, Fig. 29).

FIG. 29

Der erste Abschnitt der Nara-Periode, d. h. von 645–712, wird manchmal die Hakuhō-Periode genannt, nach dem wichtigsten Zeitabschnitt 672–686 innerhalb dieser Periode. Für die Künste bedeutete dieser Zeitabschnitt eine Fortsetzung und Intensivierung der Kunst der Asuka-Periode, die durch den Einfluß der T'ang-Kunst einheitlicher und verfeinert wurde; das wiederum brachte eine Verbesserung der Technik mit sich. Die Bildhauer standen noch unter dem Einfluß der frühen geistigen Erhebung und neigten dazu, ihre Figuren zu vermenschlichen. Jedoch waren sie bis dahin noch nicht fähig, den Ausdruck ihres eigenen Wesens der buddhistischen Kunst, die sie übernommen hatten, aufzuprägen. Große Anstrengungen verwandte man auf die Errichtung von religiösen Gebäuden, ungefähr 500 waren bis zum Ende des Jahrhunderts gebaut worden.

Hakuhō-Periode

Religiöse Gebäude

Zu den außerordentlichsten der erhalten gebliebenen Beispiele dieser Baukunst gehört die Pagode des Yakushi-ji-Tempels, die auf das Jahr 718 datiert wird, mit ihren graziösen Proportionen, ihrem komplizierten Skelett- und Ständerbau. Chinesischer Einfluß noch aus der Sui-Periode (569–618), d. h. kurz vor der T'ang-Periode, zeigt sich in Bronzestatuen wie der Shō-Kannon im Kakurin-ji-Tempel.

FIG. 26

Der unmittelbare Kontakt mit China brachte die Japaner in enge Berührung mit einer kosmopolitischen Atmosphäre, wobei China seinerseits stark unter dem Einfluß des Westens stand. In vielerlei Beziehung ist die Kunst unter der T'ang-Dynastie innerhalb der chinesischen Kunstgeschichte die am stärksten von außen beeinflußte. Einflüsse kamen von Nordwestindien, d. h. dem Gebiet von Ghandâra, wo sich rein indischer Stil mit dem Stil des römischen Kaiserreiches gemischt hatte; in Indien selbst befand sich die reizvolle, sensuelle Kunst der Gupta-Periode (ca. 375–490) auf ihrem Höhepunkt und fand bei den T'ang-Chinesen großen Anklang. In Zentralasien, in Oasen wie Khotan, Karashar, Kuchâ und Kashgar,

Kontakte mit China

Einflüsse aus Indien

Stationen auf der Reise des Glaubens von Indien nach China, entwickelten die Künstler Stilformen, in denen auch iranische Einflüsse eine Rolle spielten. So war die chinesische Kunst, die die Japaner bewunderten und annahmen, selbst die reife Synthese einer Anzahl von verschiedenen künstlerischen Strömungen, die auf verschiedenen Wegen – die einen direkt, die anderen weniger direkt – zusammengebracht und dann durch die Chinesen reinterpretiert worden waren. Als die japanische Kunst dem mächtigen chinesischen Einfluß folgte, entwickelte sie zum erstenmal einen einheitlichen Stil.

Die Qualitäten der chinesischen T'ang-Traditionen – Monumentalität, Würde und warme Lebendigkeit – sind am schönsten im ABB. 9 Gakkō-Bosatsu (Mondglanz-Bodhisattva) repräsentiert. Diese Figur gehört zu einer Trias und ist eine der Assistenzfiguren der sitzenden Haupt-Buddha-Skulptur im Yakushi-ji-Tempel, dem Tempel des Buddhas der Heilkunst in Nara. Aus vergoldeter Bronze (die Vergoldung ist nicht mehr erhalten), ungefähr um 720 gegossen, ist sie als die schönste T'ang-Statue bezeichnet worden, die noch erhalten ist. Vergleichbare Figuren in China sind schon in früher Zeit wegen ihres Metallwertes eingeschmolzen oder in Kriegen oder bei Glaubensverfolgungen zerstört worden. Die Gußtechnik des Bosatsu ist unerreicht.

Die überlebensgroße Figur steht vollkommen gelockert mit reizvoll gebogenen Hüften. Der ganze Körper schwingt in der indischen *tribhanga* oder »dreimal-gebogenen« Haltung. Die Würde des T'ang-Stils und die indische Wertschätzung der Körperlichkeit sind hier vollkommen miteinander verschmolzen. Die Anordnung des durchscheinenden fließenden Gewandes offenbart einen Körper von warmem lebendigem Fleisch, der ohne jede Zurückhaltung, wie sie sonst die chinesische Interpretation des unbekleideten menschlichen Körpers begleitet, ausgedrückt ist. Obgleich menschliche Charakteristika in dieser Periode dominieren, steht doch dahinter eine machtvolle Spiritualität, die in der Überzeugung von der Einheit der Welt, von Gott und Mensch verwurzelt ist. Jede Geste ist außerordentlich diszipliniert, und trotz ihres augenfällig körperlichen Charmes bleibt die Statue eine Gottheit, die Verkörperung tiefer geistiger Mächte in menschlicher Gestalt.

Zur Zeit als die T'ang-Kunst nach Japan eingeführt wurde, hatten die Chinesen durch die Modellierung der Grabfiguren aus Ton bereits eine fast tausendjährige Erfahrung hinter sich. Viele davon sind kleine Meisterwerke von sorgfältiger Beobachtung, die über die Massenproduktionen und ihre Manufakturen hinausreichen. Während der T'ang-Dynastie entwickelten die Chinesen neben ihrer Beherrschung der naturalistischen Darstellung einen wachen Sinn für die Bewegung und begannen, aufmerksam die anato-

Fig. 28 – Bodhisattva, Ton. Tun-huang. 8. Jahrhundert. Fogg Art Museum, Cambridge, Mass. Vgl. Seite 60

mische Vielfalt um sich herum zu beobachten. Die Japaner produzierten ihrerseits einige solcher kleinen Tonfiguren, die persönlicher und individueller ausgearbeitet sind als die Stücke chinesischer Massenproduktion. Im Erdgeschoß der fünfstöckigen Pagode des Hōryū-ji-Tempels befindet sich ein kleineres viereckiges Podest aus Ton; den Mittelpunkt bildet die Darstellung des Berges Sumeru (der kosmische Berg der indischen Gedankenwelt) mit grottenähnlich angelegten Höhlen an allen vier Seiten. In jeder Höhle ist eine Statuettengruppe in Tableauform angeordnet. Die Tempelaufzeichnungen berichten, daß die ganze Darstellung 711 dort aufgestellt wurde. In der einen Höhle ist eine Nirvâna-Szene aufgebaut, in der Shâkyamuni, der historische Buddha, von himmlischen Wesen, den zehn Großen Jüngern, den acht Wächtern, Mönchen, Nonnen, An-

ABB. 10

Tonfiguren

betern, Vögeln und anderen Tieren usw. umgeben ist; sogar ein Arzt, der wahrscheinlich den Puls des sterbenden Buddha beobachtet, befindet sich darunter. Wie die größeren Statuen bestehen sie ebenfalls aus grobem Ton, der mit feinem Ton bedeckt und dann mit einer Kaolin-Schicht überzogen ist, die ursprünglich bemalt war. In bezug auf die dramatische Auffassung ist diese Gruppe nur mit einigen der Tun-huang-Gruppen zu vergleichen. Wohl ist diese Darstellung als eine Miniatur der Grottentempel von China zu bezeichnen, aber die Individualisierung der Figuren ist ein im wesentlichen japanisches Merkmal.

FIG. 28

Solche Figuren waren ursprünglich von kleinem Format, aber ungefähr vom 4. Jahrhundert an begannen die Chinesen Tonfiguren in Lebensgröße herzustellen. In Anlagen wie Tun-huang im Westen Chinas, wo es einen guten, leicht zu bearbeitenden Naturstein nicht gab, waren die Buddha-Verehrer gezwungen, große Statuen in Ton herzustellen. Es ist sehr wahrscheinlich, daß auch für die Tempel solche Tonfiguren hergestellt wurden; da sie aber sehr zerbrechlich waren, sind sie im allgemeinen zerstört worden; die Folge davon ist, daß die japanischen Exemplare die besten der erhalten gebliebenen sind. Daß sie in all ihrer Frische die Zeit überdauerten, wenngleich auch das meiste der Bemalung verloren gegangen ist, ist fast unglaublich. Sie wurden über einem grob bearbeiteten Kern oder einem hölzernen Gestell gearbeitet; in der Regel wurde dieses mit

ABB. II

grobkörnigem, mit Stroh gemischtem Ton bedeckt, dem eine feinere Lage von Ton und Glimmerstaub folgte, dann wurde die ganze Figur bemalt und mit Blattgold belegt.

Der sogenannte Nikkō- (Sonnenglanz-) Bodhisattva im Tōdai-ji-Tempel in Nara ist eine der außerordentlichsten dieser frühen Tonfiguren. Die Bezeichnung dieser Statue ist nicht korrekt, denn tatsächlich stellt sie einen Ten oder Deva, ein himmlisches Wesen dar, das im Gegensatz zu einem irdischen oder höllischen Wesen steht. Diese Gestalt gehört zu jenen Hindu-Gottheiten, die früh in das buddhistische Pantheon eingereiht wurden und welche man im Fernen Osten, ohne ihren Ursprung zu verstehen, übernahm. Solche Figuren zeigen das Wesen der Kunst der Nara-Periode. Sowohl formal als auch geistig repräsentieren sie einen offenen, unkompliziert aufgefaßten Buddhismus, in dem der Glaube im Grunde einen gütigen, wohlwollenden humanen Geist ausdrückt. Gleichzeitig spiegelt diese Figur in verhaltener Weise den Reichtum und die Eleganz wider, wie sie der luxuriöse Geschmack der Chinesen forderte. Dies wird vor allem deutlich an dem Interesse an komplizierten Verzierungen, Nimben, Juwelen, eleganter Haartracht und fließenden Gewändern. Doch widerstanden die Künstler jeder möglichen Versuchung, einer ikonographischen »tour-de-force« nachzugeben.

Die späte Nara-Periode wird manchmal nach ihrem wichtigsten Zeitabschnitt (729–748) die Tempyō-Periode genannt, und viele Kritiker betrachten die skulpturalen Werke dieser Zeit als die schönsten, die Japan hervorgebracht hat. Diese Periode ist durch einen ungeheuren Eifer der Künstler und eine reiche Produktion in allen Arten des Materials und der Techniken gekennzeichnet, die Skulpturen sind durch große Feierlichkeit, Ernsthaftigkeit und Überzeugungskraft charakterisiert. In den zahlreichen edlen Werken dieser Periode zeigen die Japaner ihr feines Gefühl für die Oberfläche und die Textur, wie auch ihr Geschick in der Darstellung des sanften Rhythmus des Faltenwurfs. Später führte diese Sanftheit manchmal zu einer Süße und Sentimentalität, doch sind diese ererbten Tendenzen durch den Adel des zugrundeliegenden Konzeptes ausbalanciert. Die sehr menschlichen Eigenschaften der Statuen werden durch die sensitive Aufmerksamkeit, die man auf die Charakterisierung des Gesichts und der Hände, des Faltenwurfs und des Haares verwandte, betont. Der vornehme Ausdruck wird durch die schweren Schultern und die mächtige Brust deutlich hervorgehoben. Geschlechtsmerkmale sind nicht angedeutet. Aber die Innigkeit, das Gefühl für die menschliche Göttlichkeit und die Porträthaftigkeit ist im Fernen Osten einzigartig und dem künstlerischen Genius Japans zuzurechnen.

Tempyō-Periode

Diese starke Beachtung der individuellen Attribute zeichnet sehr viele frühe Werke japanischer Kunst aus; daran wird eine Gesellschaft erkennbar, in der das Individuum Bedeutung hatte. Japan hat immer die Kraft des einzelnen bewundert, und in einer kleinen, ziemlich intimen Gesellschaft, wie der des frühen Japan, kommt es verhältnismäßig früh zu einer Konzentrierung der Macht und des

Fig. 29 – Bildnis einer Dame. Wandschirm-Detail in Tusche und Farbe auf Papier. Frühes 8. Jahrhundert. 125,8 × 66,1 cm. Shōsōin, Nara. Vgl. Seite 57

Einflusses in Händen von wenigen. Die Geschichte des Übertritts Japans zum Buddhismus ist reich an Geschichten von den Taten unerschrockener Wahrheitssucher, von den Heldentaten der chinesischen Missionare, die neue Sekten mitbringen, und von japanischen Konvertiten, die Belehrung in China suchen. Die Geschichte vom selbstaufopfernden Leben der frühen buddhistischen Lehrer enthält ebenso anregende Passagen wie die Geschichte des frühen Christentums.

Glücklicherweise haben die Japaner Porträts einiger dieser Männer überliefert, die Dokumente warmer Menschlichkeit darstellen, in denen sich die emotionale, individualistische und manchmal sentimentale Seite des japanischen Charakters offenbart. Eine der frühesten, gleichzeitig bewegendsten dieser frühen Porträts ist eine Statue ABB. 12 des Mönches Ganjin, eines chinesischen Missionsmönches, der auf Einladung des Kaisers Shōmu im Jahr 753 nach Japan kam. Im Verlauf von sechs Versuchen, die Insel zu erreichen, verlor er sein Augenlicht. Aber schließlich erreichte er Japan doch und lebte in dem von ihm gegründeten Tōshōdai-ji-Tempel, der diese Huldigung an ihn auch aufbewahrt. Ganjin starb im Jahre 763; die Statue wurde einige Jahre nach seinem Tod von einem Künstler angefertigt, von dem gesagt wird, daß er Ganjins Schüler gewesen sei.

Die Technik, in der diese Figur hergestellt wurde, ist als Trockenlacktechnik bekannt. Lack ist der Saft eines Baumes, den die Bewohner des Ostens schon immer sehr geschätzt haben und zu dekorativen Zwecken benutzten – in der Hauptsache um Gegenstände wie Schalen, Becher und Schöpflöffel, Schachteln, Tabletts und Möbel herzustellen. Die Bildhauer verwendeten ihn manchmal, um eine dicke obere Schicht über einen rohen hölzernen Kern zu legen, an der sie dann die letzte Modellierung vornahmen. Manchmal benutzte man mit Lack getränkten Hanf, der über einem leichten, hölzernen Gestell geformt wurde, dann bedeckte man die ganze rohe Form mit noch weiteren Schichten von Lack, aus denen die Oberflächenmodellierung herausgearbeitet wurde. Diese Herstellungstechnik hat ihren Ursprung in China, und einige Beispiele aus der T'ang-Dynastie sind erhalten geblieben, jedoch in einer verhältnismäßig armseligen Verfassung. Diese Technik, obgleich schwierig, brachte einige Vorteile; denn die aus Lack hergestellten Figuren sind leicht und bequem zu transportieren, besonders in Prozessionen, auch sind sie gegen die Zerstörung durch Insekten unempfindlich. Aber natürlich kann eine solche Statue eine grobe Behandlung auch nicht überleben, und in einem sehr trockenen Klima neigen sie dazu zu reißen. Als die Japaner die Möglichkeit der Holzschnitzerei entdeckten, in der ihre eigentliche schöpferische Kraft lag, gaben sie den Lack als Material für Skulpturen auf.

An dem Ganjin-Porträt sind die Möglichkeiten der Trockenlacktechnik für eine sensitive Modellierung wie auch weiche Effekte voll ausgeprägt. Der Lack gleicht die scharfen Kontraste zwischen Gewand und Körper aus und schafft den Eindruck von weichen Linien und Textur. Der Bildhauer lenkte geschickt die Aufmerksamkeit auf die zarten Einzelheiten, den ergreifenden Ausdruck: der gütige, aber feste Mund, die blicklosen Augen (nicht wie bei einer augen-

Trockenlacktechnik

Fig. 30 – Hofdame, Ton. Typisches Beispiel für den rundlichen Typus der Grabfiguren aus der chinesischen T'ang-Dynastie. Vgl. Seite 66

losen Statue) und der Ausdruck der Innenschau eines Menschen, der den inneren Frieden erreicht hat. Die Statue strahlt einen Glanz und Ernst aus, die sie auf die höchste Stufe der religiösen Kunst erheben. Ein einfaches Mönchsgewand bedeckt den Körper des Priesters, seine Hände ruhen im Schoß. Die Handflächen sind in der Mudra der Konzentration nach oben gewendet, »eine Geste, die auf die Unterdrückung aller geistigen Unruhe hindeutet, um die vollkommene Konzentration auf die Wahrheit voll und ganz zu erreichen«. Der Mund zeigt leicht angedeutet die Zeichen der überwundenen Schmerzen und des inneren Triumphes. Ein vergleichbares Dokument des religiösen Geistes gibt es in China nicht.

Malerei Wendet man sich von der Skulptur zur Malerei, so findet man, daß die Kunst der Nara-Zeit noch vom Buddhismus und seinem Appellieren an die visuelle Imagination beherrscht wird. Die chinesischen buddhistischen Schriften waren außer für die Gelehrten, die in der kontinentalen Kultur bewandert waren, und das waren verhältnismäßig wenige, unzugänglich. Doch bestand zur selben Zeit ein starkes Bedürfnis, die Botschaft auch an die Ungebildeten weiterzugeben, und so entwickelten die Wanderprediger eine einfache Malmethode, wodurch die einleuchtendsten Aspekte des Glaubens in einfachen Mitteln ausgedrückt werden konnten. Aus dieser Periode

ABB. 13 hat sich in Bruchstücken die E-Ingakyō-Sutra oder »Illustrierte Sutra von den Ursachen und Wirkungen in Vergangenheit und Gegenwart« erhalten, eine buddhistische Schrift in vier Büchern, die durch einen indischen Mönch namens Gunabhara ins Chinesische übersetzt wurde. Sie enthielt eine Serie fortlaufender Malereien, die, neben dem Text stehend, diesen illustrierten. Die Technik ist ganz unprätentiös, der Schauplatz ist mit einem Minimum an Hilfsmitteln aufgebaut: einige Blumen und Felsen stellen die wechselnde Landschaft vor, ein einfaches Gebäude einen Palast.

Die Geschichte, die hier illustriert ist, ist eine der berühmtesten buddhistischen Lehren. Sie beschreibt den letzten Akt der Suche Buddhas nach der Wahrheit. Nachdem seine verschiedenen Versuche, die Wahrheit zu finden, gescheitert waren, ging Buddha hinaus in die Wildnis und saß eine Nacht lang in Kontemplation unter dem Bodhibaum. Während dieser Zeit machte er eine Anzahl von

Fig. 31 – Bodhisattva auf einer Wolke schwebend. Tusche auf Hanf. 132,1 × 137,2 cm. Shōsōin, Nara. Vgl. Seite 66

Versuchungen durch, eine davon ist die Verführung durch die drei Töchter Maras, des Königs des Bösen, die ihm in Gestalt schöner Frauen erschienen. Doch widerstand er ihnen erfolgreich, und nach weiteren Versuchungen und Angriffen, als der Morgen anbrach, erlangte er die Erleuchtung und wurde zu Buddha, dem Einen Erleuchteten.

Solche einfachen und unprätentiösen Bilder sind vermutlich das Produkt eines Tempel-Malamtes, das sie in Mengen herstellte. Die Farben sind stark und die Linien kühn. Die Geschicklichkeit in der Erzählung einer fortlaufenden Geschichte läßt bereits etwas von der Vollkommenheit der gemalten Handrollen der Fujiwara- und Kamakura-Periode (siehe unten) ahnen. Die Konventionen der vereinfachten Landschaft dieser Art sind in China entwickelt worden und in aller frühen Landschaftsmalerei von Zentralasien durch ganz China hindurch zu beobachten. Der Reiz ihres Humors und ihrer charmanten Direktheit überlebte Jahrhunderte.

Die japanische Malerei wurde, ebenso wie die Skulptur, während der frühen Nara-Periode stark von China beeinflußt. Am deutlich-

ABB. 14 sten veranschaulicht dies die berühmte Kichijō-ten im Yakushi-ji-Tempel in Nara. Dieses kleine Bild von der Göttin des Glücks ist in abgestuften Farben auf Hanf gemalt. Der mit Juwelen besetzte Kopfschmuck und die heiligen Juwelen an ihrer linken Hand sind Symbole ihrer wunderbaren Kraft. Das Gewand ist reich dekoriert, Grün und Rosa dominieren.

Dieser Typ weiblicher Schönheit, wie er sich hier offenbart, geht unmittelbar auf das weibliche Schönheitsideal des T'ang-Hofes zurück: rundlich und matronenhaft mit vollen Wangen, kleinem Mund und nachgezogenen Augenbrauen. Dieser Typ soll sein Vorbild in

Yang Kuei-fei einer bestimmten berühmten Kurtisane haben, jener Yang Kuei-fei von türkischer Herkunft, der Mätresse des Kaisers Hsüan-tsung (713–755). Sie war viel rundlicher, als es nach dem chinesischen Schönheitsideal bis dahin üblich war, und alle Hofdamen waren nun gezwungen, der Mode, die sie begründete, zu folgen. Viele chinesische Grabfiguren sind erhalten geblieben, die eine sehr ähn-

FIG. 30 liche, ganz unchinesische Statur zeigen. Doch ist das matronenhafte Aussehen für die Gestalt einer Göttin, die Glück verheißen soll, vielleicht ganz geeignet. Diese Figur mit ihrer menschlichen Haltung, ihrem sinnlichen Körper und dem sehr zurechtgemachten Gesicht wirkt tatsächlich sehr weltlich in ihrem Äußeren und gibt ein Bild davon, wie die Nara-Periode durch den Glanz der T'ang-Zivilisation beeindruckt war.

FIG. 31 Eine ähnliche Empfindung kann man an dem sitzenden Bodhisattva in Tusche auf Hanf aus dem Shōsō-in-Schatzhaus in Nara beobachten, wo die Schärpe in lebendigen Wirbeln rund um die Gestalt fließt. Obgleich es nur eine rohe Skizze ist, so zeigt sie schon eine für die japanische Pinselführung typische Freiheit und Leichtigkeit. Die Betonung der Linie ist ein fernöstliches Kriterium, und die Wirkung der großen chinesischen Figurenmaler auf die japanische Malerei wird hier deutlich. Das Gesicht hat eine warme Individualität, in der Pose ist nichts Steifes oder Priesterliches. Der weiche Schwung des Körpers, verbunden mit der fließenden Schärpe, gibt ein Gefühl von rhythmischer Bewegung.

Die wenigen Überreste der Nara-Malerei, die wir betrachtet haben, werden von dem größten Beispiel der östlichen religiösen Malerei, den Wandgemälden in der Haupthalle des Hōryū-ji-Tempels in den Schatten gestellt, »der höchsten, vollkommensten Malerei des Mahâyâna-Buddhismus auf dem Gipfel der Entwicklung der Fernöstlichen Kunst«. Zum Unglück für die Kunstgeschichte wurde die Haupthalle des Tempels, selbst ein Denkmal von großem Altertumswert, durch einen fahrlässigen Arbeiter niedergebrannt; infolgedessen sind die Wandgemälde bis auf kaum mehr als die schwarzweißen Umrisse zerstört. Nur eine schöne farbige Reproduktion, zufällig kurz zuvor von dem besten Kunstfotografen Japans aufgenommen, blieb erhalten und hält die Erinnerung an ihre Schönheit wach. In bezug auf die Datierung und sogar über das Problem ihrer Identifizierung hat es viele Kontroversen gegeben, aber nun hält man allgemein daran fest, daß sie um 710 gemalt wurden und daß die vier zentralen Paneele vier Buddhas, die zu dieser Zeit besonders populär waren, darstellen: Amida, den Buddha des Westlichen Paradieses, Yakushi, den Buddha der Heilkunst, Shâkyamuni, den historischen Buddha, und Miroku, den Buddha der Zukunft.

Die Tradition der Wandmalereien stammt aus Indien, die bekanntesten frühen Beispiele sind in Adjantâ und Bagh erhalten. Durch Ausbreitung des Glaubens auf dem Wege über Zentralasien entstanden in den Oasen, den Raststätten der Pilger, zahlreiche Wandmalereien, und man entdeckte dort einige beweiskräftige Dokumente.

Fig. 32 – Himmlische Musikanten. Späte Kopie einer Zeichnung für die Türen des Kaidan-in-Tempels. Aus dem Jahre 755. Vgl. Seite 68

FIG. 32 Die voll ausgeprägte kompositorische Kraft des japanischen Künstlers kann man an der späten Kopie einer Zeichnung sehen, die ursprünglich 755 für die Türen des Kaidan-in-Tempels angefertigt wurde. Die leichte Bewegung, die entspannte Haltung und die Beherrschung des Blickpunktes sind hier genauso ausgebildet wie bei allem, was chinesische Künstler zur Zeit der T'ang-Dynastie hervorgebracht haben. In Tun-huang, wo die Reisenden von Indien her nach China hereinkamen, sind sehr viele Malereien erhalten; aber sie sind alle sehr provinziell und von untergeordneter Qualität, verglichen mit dem Meisterwerk des Hōryū-ji-Tempels. So ist kaum anzunehmen, daß die Malereien von Tun-huang dem unbekannten Künstler des japanischen Hōryū-ji-Tempels als Vorbild dienten.

Die Figuren sind mit starken roten Linien umrissen, und zur Betonung wurde ein bestimmter Schattierungstyp angewandt. Dieser Schattierungstyp ist eine indische Erfindung und wird in einer Anzahl zentralasiatischer Wandmalereien beobachtet. Die Gesichter, der Ausdruck, das durchsichtige Gewand, alles das gehört zu dem buddhistischen Vokabular, wie es durch ganz Asien verbreitet ist. Jedoch haben die japanischen Künstler die Komposition vereinfacht und vergeistigt, indem sie die Überladenheit der indischen und das Desorganisierte der zentralasiatischen Vorbilder beiseite ließen.

In der chinesischen Kunstgeschichte wird viel von einem gewissen zentralasiatischen Maler namens Wei-ch'ih I-sêng berichtet und behauptet, er habe Pinselstriche angewandt, »die aussehen wie zu Gestalten gebogener Eisendraht«. Nichts von seinem Werk ist erhalten geblieben, aber die Tradition bestand fort und erscheint hier

ABB. 15 – Bodhisattva. *Wandgemälde in der Haupthalle (Kondō) des Hōryū-ji-Tempels, Nara. Jetzt zerstört. Siehe Seite 67, 73*

ABB. 16 – Yakushi Nyorai (Buddha der Heilkunst). Holz. *Höhe 144,8 cm. Gangō-ji-Tempel, Nara. Vgl. Seite 79*

ABB. 17 – Aka Fudō (»Roter Fudō«), Farbe auf Seide. *165,2 × 95,9 cm. Myōō-in, Kōya-san-Berg, Präfektur Wakayama. Vgl. Seite 8–*

15

16

als das fernöstlichste Ende einer langen Linie, die in Indien ansetzt und die die ganze künstlerische Welt des Buddhismus verbindet.

Das Detail auf Abb. 15 zeigt einen auf einer Lotosblüte sitzenden ABB. 15 Bodhisattva, der zu der Gruppe des Buddhas der Heilkunst gehört. Die Farben und der sanfte Rhythmus der Figur erinnern an einige der besten chinesischen Tun-huang-Figuren – eine Kombination von Lebendigkeit und Spiritualität, wie sie die T'ang-Kunst in ihren besten Beispielen aufweist. Die lebhaften Farben und klaren Details tragen zu diesem Eindruck von Vollkommenheit bei. Die wohlwollende Neigung des Kopfes und die biegsame Eleganz der Gestalt entzücken den Gläubigen mit einer Vision der Seligkeit. Diese Wandgemälde sind der Höhepunkt in der Kunst der Nara-Periode.

ABB. 18 – Nyoi-rin-Kannon (»Göttin des Mitleidens«) mit Juwel und Rad, die alle Wünsche befriedigen. Holz, bemalt. *Höhe 109 cm. Kanshin-ji-Tempel, Ōsaka. Vgl. Seite 81*

ABB. 19 – Kichijō-ten. Holz, bemalt. *Höhe 90,2 cm. Jōruri-ji-Tempel, Kyōto. Vgl. Seite 96*

Gegen das Ende des 8. Jahrhunderts beschlossen die Japaner, die schöne Stadt Nara, die sie unter so großen Mühen errichtet hatten, zu verlassen und bauten eine völlig neue Hauptstadt bei Nagaoka. Niemand weiß genau, warum sie sich dazu entschlossen. Die meisten Historiker nehmen an, daß der Hof sich der wachsenden Macht des Nara-Klerus, wie er sich in anmaßenden Intriganten wie Dōkyō personifizierte, entziehen wollte. Wenn dies tatsächlich die Absicht des Hofes gewesen war, sollte diese bald durch die neuen Sekten vereitelt werden, die sich sehr rasch überall dort bildeten, wo der Hof seine Residenz errichtete, und ihren Einfluß auszuüben begannen. Außerdem haben die Japaner einen alten, aus der prä-buddhistischen Zeit stammenden Glauben, nachdem ein Ort durch Tod entweiht wird. Einen relativ einfach gebauten Palast zu verlegen, war im alten Japan leicht, die Errichtung einer ganzen Stadt an einem anderen Ort war dagegen ein sehr bedeutendes Unternehmen. Dies gilt besonders für ein verhältnismäßig armes Land wie Japan, das sich ohnedies finanziell in schwieriger Lage befand. Es wird berichtet, daß zum Aufbau der neuen Stadt 300000 Arbeiter eingesetzt und die Steuereinnahmen eines ganzen Jahres aufgewendet werden mußten.

Heian-kyō Dann, nach zehn Jahren Arbeit in Nagaoka, wurde ebenso plötzlich das Projekt wieder fallen gelassen und ein neuer Platz an der Stelle des heutigen Kyōto ausgewählt und Heian-kyō, »Hauptstadt des Friedens und der Ruhe«, genannt. Wieder ist die Ursache für diesen anscheinend unverständlichen Entschluß dunkel. Jedoch wurde die Errichtung der Nagaoka-Anlage von einer Anzahl von Unglücksfällen begleitet, die in dem gewaltsamen Tod des Bruders des Kaiser und in einer Serie von Unglücksfällen, die die kaiserliche Familie betraf, ihren Höhepunkt erreichten. Die Geister, so schien es, waren gegen das Projekt und konnten nur besänftigt werden, indem man die Gegend verließ.

So konnte nach noch angestrengterer Arbeit der Kaiser seinen neuen Palast in Kyōto 793 beziehen, während die Arbeit an den Hauptgebäuden der übrigen Stadt noch zehn Jahre fortgesetzt wurde. Heian-kyō war wieder im wesentlichen chinesisch angelegt, mit breiten Hauptstraßen, die ein rechteckiges Gitter ergaben, das von kleineren Straßen unterteilt wird. Natürlich hat sich Kyōto im Laufe der Jahrhunderte vielfach verändert, und das Tempo der Veränderungen hat sich in den letzten Jahrzehnten verstärkt. Aber noch ist genügend geblieben, um an die alte Stadt zu erinnern. Obgleich die Haupttore verschwunden sind, haben doch viele alte Tempel die Feuersbrünste, die immer die Feinde der japanischen Architektur gewesen sind, überdauert. Hier und dort kann man noch die alten Wasserwege sehen, wie sie von den Bergen herunter kommen; sie sind eine Veranschaulichung dessen, was Camman »eine harmonische Verschmelzung des Ästhetischen mit dem Funktionalen nennt, wie sie immer das japanische Leben ganz allgemein charakterisiert hat«.

Zu dieser Zeit stand Japan noch unter dem kulturellen Einfluß Chinas, aber schon war die anfängliche Größe der T'ang-Periode im Schwinden begriffen. Die zweite Hälfte der T'ang-Periode war durch die im ganzen chinesischen Reich anwachsenden Unruhen gekennzeichnet, wie auch durch den Zusammenbruch des einst so ausgezeichneten Verwaltungssystems und durch Insubordination an höchsten Stellen. Nichtsdestoweniger war China für den Fernen Osten noch immer das Mekka; neue buddhistische Sekten kamen von dort nach Japan, welche die alten Anschauungen des Glaubens, die der Nara-Kunst ihre Direktheit, Einfachheit und ihren Charme gegeben hatten, vollständig veränderten. Die alten Sekten blieben in Nara unberührt und abgeschnitten von den neuen Entwicklungen. Japan war aufgeschlossen für jede Neuerung, sogar in religiösen Dingen und jede Anregung von außen wurde ungeduldig erwartet und eifrig studiert. Wer nach Sicherheit und Vorteil des Klosterlebens strebte, konnte in den neuen Klöstern Platz finden. Der Hof seinerseits hoffte, daß die Macht der alten Sekten durch die neuen lebendigen Sektengründungen eingeschränkt wurde, und so begünstigte er sie. Die wichtigsten dieser Sekten war die Tendai-

Kultureller Einfluß Chinas

Sektengründungen

Schule, 805 eingeführt durch Dengyō Daishi, den »Großen Lehrer Dengyō«, und die Shingon-Schule oder »Schule des Wahren Wortes«, die 806–807 von Kōbō Daishi gegründet wurde.

Die Tendai-Schule kam aus China, wo sie ihren Hauptsitz auf dem Berg T'ien-t'ai-shan besaß. Ihre Lehre ist im wesentlichen eklektisch, doch stellt sie eine der berühmtesten Schriften der Lotos-Sutra in den Mittelpunkt ihrer Lehre. In ihrer Essenz lehrt diese, daß das Absolute allen Phänomenen zugehörig ist, daß alle diese Phänomene Manifestationen einer unwandelbaren Wirklichkeit sind. Das Studium der Schriften, religiöse Übungen und Kontemplation waren die Wege zur Erleuchtung. Das bedeutete, daß durch Studium und korrektes Leben ein Mensch die Buddhaschaft, die jedem Menschen und jedem Ding innewohnt, erreichen kann. Die Tendai-Schule bestand auf ihrem eigenen Recht, Priester zu ordinieren, zweifellos, um sich der Kontrolle des Nara-Klerus zu entziehen, und der Hof unterstützte ihre Forderungen aus demselben Grund, nämlich der Abschwächung der Macht des Nara-Klerus. Die Sekte hat eine klare, nüchterne Ansicht von den Wegen zur Erlangung der Weisheit, die aus der Kombination all der verschiedenen Media religiöser Erlebnisse erwachsen sollte. Auf dem Hiei-

san-Berg bei Kyōto errichtete sie ihren Haupttempel und behauptete, daß er die Stadt von allen bösen Einflüssen, die aus dem Nordosten kommen, schütze. Der Berg selbst wurde zum Gegenstand tiefer Verehrung, und es ist interessant zu beobachten, wie die tief verwurzelten japanischen animistischen Glaubensvorstellungen nun einen Platz in den japanischen Formen des Buddhismus einzunehmen beginnen. Der Hof gewährte der Sekte seine Unterstützung, aber damit schuf er sich »einen Prügel für den eigenen Rücken«, denn der militante Klerus auf dem Hiei-san-Berg sollte später eine große Plage werden.

Kōbō Daishi, ein urbaner, künstlerisch begabter Mann mit gelehrten Neigungen, kehrte 807 aus China zurück und brachte die Shingon-Schule oder »Schule vom Wahren Wort« mit, in welcher Dainichi Nyorai, der Höchste, der Ewige Buddha, von welchem alle Buddhas abstammen, die zentrale Stellung einnimmt. Das »Wahre Wort« bezieht sich auf die magische Formel, von welcher die Shin-

Fig. 33 – Bronze-Reliquiar in Form eines Stûpa (hōtō). Vgl. Seite 78

gon-Anhänger glauben, daß sie die Elemente des Universums repräsentiere. Die Sekte hat ihren Ursprung in dem späten indischen Tantra-Buddhismus, der sich über China, Tibet und Java ausgebreitet hat und mit dem Lamaismus verwandt ist. Seine Anhänger betonen die Wichtigkeit von Beschwörungen, Zauberformeln und magischen Symbolen. Kōbō Daishi errichtete seinen Tempel entfernt von Kyōto, in einem tiefen Wald der Wakayama-Provinz, wo er auf der einen Seite vor der Hofintrige sicher war und auf der anderen vor der Rivalität der Tendai- und anderer Schulen. Ein Besuch auf dem Kōya-san-Berg mit seinen vielen kleinen Tempeln, die von riesigen Bäumen überschattet und in Nebel eingehüllt sind, durch den das Sonnenlicht in breiten Streifen dringt, ist ein bewegendes Erlebnis. Kōbō Daishi gewann sehr rasch die Gunst des Hofes, der von den Glaubensvorstellungen der Shingon-Schule angezogen wurde.

Kōya-san-Berg

Für die Gläubigen der Shingon-Schule ist das Bewußtsein dasselbe wie die Wirklichkeit, und die Wirklichkeit verkörpert sich im Dainichi. Das Universum ist Ausdruck der Buddha-Natur. Dieser Glauben umfaßte alles, und die vielen Geister aus der bewußten Welt können sich leicht als verschiedene Göttergestalten verkörpern. Vor allem aber war die Erlösung für die Shingon-Anhänger schnell und leicht zu erreichen; dieses alles sind wesentliche Eigenschaften, die einer verweichlichten Gesellschaft entgegenkommen. Sowohl die Shingon- als auch die Tendai-Schule waren tolerant und akzeptierten andere Lehren, sogar den einheimischen Shintō, als Teile ihres weit umfassenderen Systems.

Diese *mikkyō*, »Geheimnis-« oder »esoterischen« Schulen, brachten stark mysteriöse Lehren, von denen nicht erwartet werden konnte, daß sie der Laie, der sich bis dahin an einfachen Glaubensbekenntnissen erbaut hatte, verstehen konnte. Die begleitenden religiösen Paraphernalien, die auch in tantristischen Religionsformen überreich vorhanden sind, machen die Skulpturen und Malereien komplizierter. In der Shingon-Schule ist die Lehre teils allen zugänglich

Mikkyō-Schulen

und teils geheim; die öffentlichen Verehrungszeremonien bestanden häufig lediglich aus einfachen Wiederholungen magischer Formeln. Die furchteinflößenden Aspekte buddhistischer Götter spielten von nun an eine viel größere Rolle – besonders die Myō-ō, die furcht-erregenden Könige, die den Gläubigen schützen und den Übeltäter straften. Diese mystischen Lehren dürften eine gewisse Seite in der japanischen Mentalität stark angesprochen haben. Die geheimnis-vollen Aspekte fanden in den unter dem Buddhismus noch immer vorhandenen alten Shintō-Gedanken ein Respondierendes, und tat-sächlich gelang es der neuen Sekte, einheimische Glaubensformen in sich aufzunehmen. Die neuen Glaubensrichtungen haben zweifel-los den Buddhismus, der gegen Ende der Nara-Periode kraftlos, profaniert und sogar korrupt geworden sein muß, neu belebt. Sir Charles Eliot faßt das Wesentliche des Shingon zusammen, indem er sagt: »Er eliminierte zahlreiche gefährliche Mißbräuche, die auf-kamen, und lehrte edle und tiefgründige Gedanken, in der Kunst gab er ihnen einen würdigen Ausdruck. Andererseits war diese Tief-gründigkeit und der reichliche Gebrauch von Symbolen seine größte Gefahr. Seine Anhänger, außer jenen seltenen Gebildeten, welche seine tiefen Mysterien ergründen konnten, mißverstanden die Sym-bole und nahmen sie für die Realität; so verfielen sie in einen Poly-theismus und Aberglauben.«[1]

Zwar sind nicht wenige originale Bauten aus dieser Zeit erhalten geblieben, und doch wissen wir kaum etwas über irgendwelche Neuerungen, die diese Schulen vielleicht in der Architektur einge-führt haben könnten. In den alten Städten wie Kyōto wurde der Stil von Nara fortgesetzt, aber in den Bergfestungen, wo große ebene Flächen selten sind, werden die Einzelgebäude zu Gruppen kleiner Gebäude, was gut zu der Atmosphäre des Geheimnisvollen paßt. Die Sekten bevorzugten ein *stûpa*-ähnliches Gebäude, das ursprünglich dazu bestimmt war, die Reliquien Buddhas aufzu-

FIG. 33 nehmen und nun populär wurde; das bronzene Reliquiar von Fig. 33 kann man als ein Modell dafür ansehen.

Die Anziehungskraft der chinesischen Kultur war noch immer vor-

---

[1] Sir Charles Eliot, »Japanese Buddhism«, London 1935, S. 239

herrschend. Japanische Mönche reisten durch China, sammelten Schriften und religiöse Gegenstände, um sie dem bewunderungs-bereiten, kulturhungrigen Japan zu bringen. Chinesische Literatur stand oben an, und die T'ang-Dichter wurden so intensiv studiert, daß japanische Adepten fähig waren, die Formen der chinesischen Gedichte bis ins einzelne zu imitieren.

Die Meinungen über die Skulpturen dieser Periode sind geteilt. *Skulptur* Einige sehen darin einen kraftvollen neuen künstlerischen Geist, der die buddhistische Kunst, die gegen das Ende der Nara-Periode kraftlos geworden war, neu belebte. Andere, die sich an den im Religiösen wie im Künstlerischen offenen, unkomplizierten Formeln der meisten Werke der frühen Periode begeisterten, verübeln den neuen Formen ihre scheinbare Grobheit, obgleich gesagt werden muß, daß die Kennzeichen dieser Richtung bereits in der frühen Periode zu finden sind.

Gewiß macht in den typischsten Äußerungen der Kunst jener Zeit die alte Einfachheit dem Furchteinflößenden Platz, das mit symbo-lischer Bedeutung beladen ist und durchaus mit der Realität nichts mehr zu tun hat. Die Skulptur war eine klerikale Kunst, die dem vorgeschriebenen Kanon folgte und beeindrucken sollte. Mittler-**weile** verwandten die japanischen Handwerker ausschließlich Holz als Material und erwiesen sich als Meister in der Schnitzkunst. Von dieser Zeit an benutzten sie kaum noch ein anderes Material.

Der Yakushi Nyorai im Gangō-ji-Tempel in Nara ist ein typisches ABB. 16 Beispiel für das neue Verhältnis zu buddhistischen Gottheiten. Diese Skulptur ist schwer und massiv, und ihr fehlt vollkommen jenes Mit-gefühl, das Skulpturen früherer Zeiten auszeichnete. Der Buddha ist aus einem einzigen Stück Holz geschnitzt und unbemalt ge-lassen, vermutlich, um das geheiligte Holz sichtbar zu machen. Seine Haltung **ist unerschütterlich** und unversöhnlich und das Ge-sicht finster, als ob er die Geste, die seine Hände vollziehen, das »Du-sollst-keine-Furcht-Haben«, Lügen strafe. Schwere Trägheit erfüllt das Ganze. Diese Merkmale müssen gewiß eine tief religiöse Kraft ausgedrückt haben; aus welchem Grund sonst sollten die Japaner die Grazie und den Charme der früheren Figuren auf-gegeben haben? Die Kunstfertigkeit ist außergewöhnlich, das zeigt

sich besonders an den Falten des Gewandes, die als *hompa shiki* oder »Wellenform« angelegt sind. Bei diesem Faltenwurf folgt auf eine tiefe, wellenähnliche Falte eine flache Falte, die zu einer anderen tiefen Falte wie Wellengekräusel über den Sand, wie es einmal sehr glücklich beschrieben wurde, überleitet. Die Beziehungen zwischen Körper und Gewand sind meisterhaft ausgedrückt. Das Ganze macht einen Eindruck von Großartigkeit, die durch den Rhythmus und die Vitalität belebt wird.

Sherman Lee[2] nennt diesen Stil in einem kürzlich erschienenen Buch den »furchterregendsten, schrecklichsten Stil, der im Fernen Osten geschaffen wurde, ähnlich wie der byzantinische Stil der

[2] Sherman Lee, »A History of Far Eastern Art«, London 1964, S. 283

Fig. 34 – Wandgemälde aus Bezeklik, Zentralasien, Detail. Nach F. H. Andrews »Wall Paintings from Ancient Shrines in Central Asia«. Vgl. Seite 81

furchterregendste im mittelalterlichen Europa genannt werden kann«. Und Seiroku Noma sieht in ihm einen Spiritualismus, der nötig war, die Plastik wieder zu beleben und »die Schale des erstickenden Realismus zu zerstören«. Von seinem Wesen geht eine Kraft aus, die erschreckt und unterdrückt, und es umgibt ihn eine tiefe mystische Atmosphäre. Diese Skulpturen sind keine Götter, denen man nahe kommen möchte.

Das Vorbild zu diesem Typus der Plastik kommt vom Festland, doch soweit wir wissen, aus Siedlungen in Zentralasien, das stilistisch Indien näher steht. So hat es den Anschein, als ob die Japaner mit typischer Beharrlichkeit versucht hätten, die Quellen des chinesischen Buddhismus zu finden. Sie haben das Vorbild in Holz nachgestaltet, schwerer und abweisender als die Beispiele der erhaltenen Wandmalereien zeigen. FIG. 34

Die Nyoi-rin-Kannon im Kanshin-ji-Tempel, entstanden ungefähr zwischen den Jahren 824 und 827, gehört zu der Gruppe der geheimen Statuen, die nur bei sehr seltenen Gelegenheiten gezeigt werden und auch dann nur nach langer Vorbereitung. Die Sorgfalt, mit der sie verborgen gehalten wurde, ist die Ursache für ihren bemerkenswerten Erhaltungszustand mit der noch originalen Malerei auf dem Nimbus oder *mandorla*. Nur zwei der Hände sind kürzlich restauriert worden. Die Gestalt, in Indien als Cintâmani-cakra bekannt, soll die Göttin des Mitleidens darstellen, mit dem Wunschjuwel, dem Rad, der Lotosknospe und dem Rosenkranz, die Göttin, die »alle Wünsche befriedigt«. Yashiro beschreibt ihre Wirkung als »eine Kombination von sinnlicher Bezauberung und spiritueller Mystik«. Ihre freie Sinnlichkeit mag wohl auf den Einfluß der indischen Malerei zurückzuführen sein, der von der chinesischen Skulptur aufgenommen worden war und sich in zahllosen T'ang-Skulpturen widerspiegelt. Die Merkmale des rundlichen Gesichts – volle Lippen, die ringförmigen Halsfalten –, wie die schlaffen Arme, der naturalistische Faltenwurf, alle sind für das China der T'ang-Periode charakteristisch. ABB. 18

Wenn man die Aura des Geheimnisvollen außer acht läßt, so ist die Wirkung der Statue ein wenig schwach, denn in einem gewissen Sinn ist sie nicht typisch und in hohem Maße derivativ. Es fehlen

jene charakteristischen Züge, die vielen japanischen Holzschnitze-
reien ihre sensitive Qualität verleihen. Sie besitzt nicht das kraftvolle Unheildrohende des Yakushi Nyorai, der kurz zuvor geschildert wurde. Die Pose ist lässig und schlaff mit dem Anschein weltlicher Überlegenheit. Das fast puppenähnliche Gesicht erscheint
träumerisch und geistesabwesend. Die ikonographisch geforderten
sechs Arme sind geschickt in die legere Pose einbezogen, doch spürt
man, daß sie dem japanischen Schnitzer leicht behindert haben, da
er immer die Schönheit des menschlichen Körpers empfindet, auch
wenn er ihn nicht im Sinne westlicher Anatomie studiert. Man merkt,
daß die Japaner mit diesen körperlichen Abnormitäten nicht ganz
glücklich waren. Nichtsdestoweniger hat die Figur eine innere
Wärme, welche sie von der grimmigen, abschreckenden Welt des
Yakushi Nyorai absondert. Sie gehört mehr in das Reich der Malerei
als in das der Skulptur, und vielleicht ist sie eher ikonographisch
als künstlerisch von Interesse.

Malerei   Wie sich die Skulptur der frühen Heian-Periode stark auf einen
ikonographischen Inhalt stützt, so neigt auch die Malerei dazu, sehr
didaktisch zu sein. Eine beliebte Form war die *mandara*-Malerei,
mandara bedeutet im Sanskrit »Kreis«. In Wirklichkeit sind sie komplizierte und diagramatische, kartenähnliche Malereien, die innerhalb
geometrischer Formen die verschiedenen Himmel und ihre zahl-
FIG. 35   losen Gottheiten darstellen. Allgemein nimmt der »Große Erleuch-
ter« – »Dainichi« die zentrale Stellung ein. In mancher Hinsicht
paßt diese Art der Malerei, die ihren Ursprung in China hat, dort
aber nicht viel Anklang fand, zu der Shingon- und der Tendai-
Schule besser als Skulpturen, da sie komplizierte und verwickelte
Lehren darstellen konnte. Ihr Anliegen ist es, den Betenden durch
die Grenzenlosigkeit der übermenschlichen Welten, die ihn erwarten, wie auch durch die Tiefgründigkeit oder wenigstens Komplexität ihrer Glaubensvorstellungen zu überwältigen. Doch gleichzeitig gaben sie dem Gläubigen Grund zu hoffen, daß auch ihm
ein Platz zuteil wird. Solch eine Erscheinung entspricht dem Charakter einer sich stark auf das Mysteriöse stützenden Lehre. So enthält der ganze Malerei-Typus eine gedankliche Schwere, die einen
integralen Teil des Systems darstellt. Spätere Historiker loben die

Fig. 35 – Ryōkai-Mandara (»Mandala der Zwei Welten«), Detail. Gold und Silber auf Purpurseide. Jingo-ji-Tempel, Kyōto. Vgl. Seite 82

genaue Zeichenkunst, die schönen Linien, das dünne Gold und Blau, aber im ganzen wirken diese Werke doch etwas langweilig und sind längst nicht so interessant wie andere Formen der Malerei.

Die vitalste Ausdrucksform der Malerei, die in dieser Periode eingeführt wurde, drückt mehr im Detail und mit größerer Emphase die erschreckenden furchterregenden Aspekte dieser Religion aus, die wir gerade in der Skulptur gesehen haben. Es sind die Darstellungen des Gottes Fudō vom Myōō-in-Tempel, einem Tempel, der zum Gebäudekomplex auf dem Kōya-san-Berg, dem Hauptsitz der Shingon-Schule, gehört. Er sitzt auf naturalistischen Felsen und hält die Symbole seiner Macht, das Schwert und eine Schnur in der Hand. Durch die Eckzähne erscheint sein Gesicht grimmig, und er starrt fürchterlich aus dem Bild heraus. Seine zwei jungen Akolyten neben ihm sind Seitaku, der die unterwerfende Macht symbolisiert, und Kinkara, der für die aufrechterhaltene Tugend steht. Die ganze Komposition, die sich gleich einem Bogen von oben links nach unten links erstreckt, wird durch den Flammennimbus beherrscht, und alles ist in einer glühenden, roten Farbe gemalt, was die Schockwirkung noch erhöht. In dieser Malerei ist eine sinnliche Empfindung zu spüren, die ganz neu ist. Einige Autoritäten behaupten, daß diese freie und asymmetrische Komposition und ihre Empfindung für Tiefe in dieser Malerei auf ein späteres Datum hinweist, als das der Frühen Heian-Periode, welcher es gewöhnlich zugeschrieben wird. Doch besteht kein Grund dafür, warum es so sein sollte, und die allgemeine Atmosphäre dieses Werkes paßt zu den frühen Heian-Vorstellungen. Für diese Malerei gibt es keine chinesische Parallele. Während der Frühen Heian-Periode wurden neue religiöse und künstlerische Einflüsse aufgenommen, die weit bis in die späteren Perioden hinein wirkten. Es wurden die Anfänge zu einer rein japanischen Kunst gelegt – selbstbewußter und sicherer. Aber um die volle Entwicklung dieser wesentlichen japanischen Eigenschaften zu erkennen, müssen wir die Entwicklung der Künste der nächsten Periode. verfolgen.

ABB. 17

V. DIE SPÄTE HEIAN- ODER FUJIWARA-PERIODE
895-1185

Nur wenige Geschichtsepochen der zivilisierten Menschheit können
mehr Interesse in Anspruch nehmen, als die drei Jahrhunderte der
Späten Heian-Periode. Zum ersten Male seit der Einführung der
chinesischen Zivilisation vor über drei Jahrhunderten begann Japan
politisch, sozial und kulturell auf eigenen Füßen zu stehen.

Was brachte diese langen Flitterwochen, diese tiefe Bindung an *Abruch der Beziehungen*
chinesische Kultur zu einem Ende? Der Hauptfaktor war, daß die *zum Festland*
gleichzeitigen Ereignisse in China die Japaner zu der Überzeugung
brachten, daß es für Japan gefährlich wäre, wenn sie ihre Beziehungen zum Festland nicht abbrächen. Eine schwere Verfolgung des
Buddhismus in China in der Mitte des 9. Jahrhunderts beunruhigte
die Japaner sehr, denn sie waren dem Glauben und seiner Toleranz
wahrhaft ergeben. Religiöse Toleranz war immer ein bestimmendes *Religiöse Toleranz*
Element ihrer Kultur, und Verfolgungen von der Art, wie sie in
China üblich waren, die die Zerstörung so vieler Kunstschätze mit
sich brachten, gab es bei ihnen nicht. Shintō und Buddhismus lernten sich gegenseitig zu respektieren und lebten von früher Zeit an
miteinander. Wiederum zerfiel die Verwaltung des großen chinesischen Reiches durch äußeren Druck und innere Revolutionen sehr
rasch. Die Japaner fürchteten diese beiden Feinde einer festen Regierung; und die Sicherheit, die ihnen ihre Inselposition bot, hatte
sie nicht gelehrt, weder wie solche Probleme zu behandeln seien,
noch wie schließlich ihnen mit Gleichmut zu begegnen sei.

Die politischen Missionen von Japan nach China, welche die früheren Jahrhunderte gekennzeichnet hatten, nahmen im 9. Jahrhundert
rasch ab. Gelehrte und Priester reisten zwar weiterhin nach China,
und die japanische Aristokratie verlangte immer noch nach chinesischen Luxusartikeln wie Kunstgegenständen, neuer Literatur,
Drogen, Weihrauch und Duftstoffen, die man in Japan nicht herstellen konnte. Aber um das Jahr 900 waren die beiden Länder
politisch weit voneinander getrennt, und Besucher aus China waren

nicht gern gesehen, darüber hinaus war gewöhnlichen Japanern die Reise nach China verboten.

Die Japaner begriffen nun, daß ihre eigene Gesellschaft und ihre Probleme anders waren als die Chinas und andere Lösungen forderten. Zum Beispiel wäre der Sturz eines kaiserlichen Hauses, wie es in China häufig war, in Japan nicht toleriert worden, da der Kaiser als göttlich, d. h. als direkter Nachkomme eines Gottes angesehen wurde. Obgleich die chinesische Sprache weiterhin Respekt *Literatur* einflößte, entwickelte sich doch die japanische Landessprache zu einem anerkannten Vermittler der Literatur, besonders für Gedichte und Romane, von welchen die berühmten »Erzählungen vom Prinzen Genji«, das »Genji-monogatari«, geschrieben von der Dame Murasaki Shikibu zwischen den Jahren 1008 und 1020, ein außergewöhnliches Beispiel sind. Murasaki kritisierte öffentlich die »sinisierte« Sprache wegen ihrer Steifheit. Daß die Japaner sogar auf diesem Gebiet einen Bruch mit China in Betracht ziehen konnten, ist ein Kennzeichen der neuen selbstbewußten Atmosphäre dieses energischen, sich entwickelnden Landes.

Diese Periode sah die Entstehung zweier Institutionen, die in den folgenden Jahrhunderten Glück und Unglück brachten. Ein autoritätsloser Kaiser, hinter dessen Rücken starke und rücksichtslose Männer das Schicksal des Landes beherrschten, und die Schaffung einer feudalen Gesellschaft, die um die Macht kämpfte, brachten der Nation Augenblicke des Heldentums und des Leidens.

Fujiwara Die erste große Familie, die den Kaiser und die Nation beherrschte, waren die Fujiwara, nach denen die Periode manchmal genannt wird. Sie behaupteten, ebenfalls von Göttern abzustammen, und seit dem Ende des 8. Jahrhunderts nahm ihre Macht allmählich zu, indem sie Land und Reichtum erwarben und in geschickter Weise Verwandtschaftsbeziehungen anknüpften. Sie verbanden ihre Töchter durch Heirat oder Konkubinat einer Reihe von meistens relativ schwachen Kaisern. Die Fujiwara überstanden alle Intrigen, und die Nachkommen dieser fruchtbaren und reichen Mädchen verstärkten weiterhin ihren Einfluß auf das Schicksal des Reiches. Politische Ämter waren erblich, und es ist verständlich, warum das chinesische egalitäre System für den Eintritt in den Beamtendienst

durch Examen und Beförderung sie kaum anzog. Sie nahmen die
äußeren Formen des Konfuzianismus an, aber ohne die Sorge um
das Volk, die der Konfuzianismus von den öffentlichen Beamten
erwartete.

Im ganzen waren sie fähige Männer, besaßen großen Familienstolz
und hatten ein echtes Interesse an der Wohlfahrt des Staates. Obgleich die Literatur dieser Periode den Eindruck hervorruft, es
handele sich um prachtliebende Lebemänner, müssen Politiker wie
Fujiwara no Michinaga auch hart arbeitende und ernsthafte Männer
gewesen sein, ständig auf der Hut vor rivalisierenden Machtan-
sprüchen – besonders seitens des schnell an Bedeutung zunehmenden Provinzadels.

Die Kaiser waren nicht in der Lage, die Fujiwara zu kontrollieren,
denn ihr ständig zunehmender Landbesitz und ihre Einkommen
waren von der Besteuerung ausgenommen, und ohne Geld konnte
der Kaiser keinerlei Militär- oder Polizeitruppe, die seinen Willen
ausgeführt hätte, unterhalten. Die friedvollen Jahrhunderte der
T'ang-Dynastie in China hatten in Japan ein Gefühl falscher Sicherheit geschaffen, so daß sogar die kaiserliche Armee allmählich ihre
Stärke einbüßte. Der Kaiser war fast nur noch ein kultureller Mittelpunkt, dessen Macht über die Einzelheiten beim Vollzug des Zere-
monials kaum hinausging. Immerhin konnte sich wenigstens durch
dieses System die kaiserliche Linie ununterbrochen erhalten. Auf
der anderen Seite aber waren, angesichts des Nepotismus und der
Vorherrschaft, welche von den Fujiwara ausgeübt wurde, fähige
Männer nicht geneigt, in das öffentliche Leben einzutreten, und
viele der besten traten in eines der Klöster ein, wo ihre Talente
einen großen Wirkungskreis fanden. Die Fujiwara selbst hatten
ebenfalls keine eigene Streitmacht, aber sie konnten sich auf die
Unterstützung der mächtigen Landadeligen verlassen, und sie waren
sorgfältig darauf bedacht, unter ihnen das Gleichgewicht aufrecht-
zuerhalten – obschon es unbequem war. Dieser Punkt war ihre
Schwäche und führte zu ihrem Untergang. Hinter dem verfeinerten
Hofleben führten die Adligen einen harten Kampf um die Macht.
Der Adel begann den Kodex der *samurai* oder »Dienstmannen« zu *Samurai*
entwickeln mit seinen strengen Ehrengesetzen, dem *bushidō*, »Weg *Bushidō*

des Ritters«, der das Verhalten bestimmte. Es war ein System, in dem sich jede Kleinigkeit in einer feinen Ausgewogenheit befand, und es war ebenso kompliziert wie das System des feudalen Europa.

Hofleben Das Hofleben, das die Fujiwara in Kyōto aufbauten, war das Äußerste an Verfeinerung und Raffinement, besonders in den Jahren zwischen 966 bis 1027. Und es scheint, als hätten sich die eleganten Damen und Herren des Hofes wie fallende Ahornblätter dahintreiben lassen, durch eine Welt, deren Sensibilität zu fein für uns ist, als daß wir sie richtig würdigen könnten. Dabei fallen einem Adjektive ein, wie sentimental, delikat, elegant, verfeinert, künstlerisch exquisit, melancholisch, sinnlos. Man liebte den Luxus und war hingegeben an die Vergnügungen der Verführung und an die noch subtilere Sehnsucht der unerwiderten Liebe. Das Alltägliche der Hofetikette und Kleidung beschäftigte einen großen Teil ihrer geistigen Energie. Literatur und Kunst, deren großzügige Gönner sie waren, faszinierten sie. Und doch floß hinter allem jener Strom von Melancholie, der wiederholt im japanischen Charakter an die Oberfläche tritt. In einer Atmosphäre der Verweichlichung und Intrige, isoliert von den belebenden fremden Kontakten, entwickelte sich die japanische Kultur wie in einem künstlichen Vakuum. Dies ist jene Welt, die die Dame Murasaki für uns mit so klaren Einzelheiten geschildert hat und welche George Sansom in seiner schönen Prosa zusammenfassend bezeichnet als eine »Form der Existenz, die der klaren Erfassung der Schönheit und dem Verfeinern der persönlichen Beziehungen in einem solchen Maß gewidmet war, daß Gedanken und Gefühle durch den leisesten Schatten einer Andeutung vermittelt werden konnten«.

Militante Priester Die Priester ihrerseits paßten sich der Zeit an und wurden so militant wie die Landadligen. Die Shingon-Sekte konnte zum größten Teil in ihren Landfestungen bleiben, weitab von der Unruhe, aber

ABB. 20 – Amida-Buddha. Holz, vergoldet. Werk des Jōchō. *Höhe 284,7 cm. Byōdō-in-Tempel, Kyōto. Vgl. Seite 94*

ABB. 21 – Kinkan Shutsugen (»Der sich aus seinem goldenen Sarg erhebende Buddha«). Farbe auf Seide. *Spätes 11. Jahrhundert. Meister unbekannt. 161,1 × 228,7 cm. Chōhō-ji, Kyōto. Vgl. Seite 98*

20

22

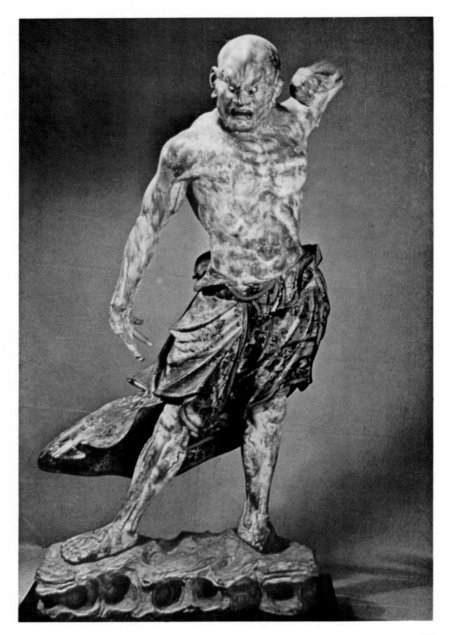

23

die Tendai-Sekte, besonders in den Tempeln außerhalb Kyōtos, *Sekten* stellte Armeen von Söldnern auf, welche sich von Zeit zu Zeit auf die Hauptstadt stürzten, um ihren Ansprüchen oder Wünschen Nachdruck zu verleihen oder untereinander heftige Fehden zu füh‑ ren. Ernsthafte Buddhisten hatten eine intensive Abneigung gegen solches Benehmen, welches den friedvollen Grundsätzen des Glau‑ bens so fremd ist, und der Hof empfand die militanten Mönche als gefährliche Verbündete. Der Hof seinerseits, der nur einen kleinen Teil der Bevölkerung umfaßte, war vom Volk, das für das Hofleben in Genuß und Gepränge wenig Sympathie zeigte, vollkommen ge‑ trennt. Die buddhistischen Einrichtungen waren reif für eine Refor‑ mation, und das Volk strömte einer neuen Sekte zu, der Jōdo-Sekte oder Sekte »Vom Reinen Land«, die einen Glauben an einen einzi‑ gen Erlöser predigte, der auf der Verehrung des Amida-Buddha vom Westlichen Paradiese basierte. Der Weg zur Erlösung war ein‑ fach. Man brauchte nur den Namen Buddhas mit der einfachen Formel »Namu Amida Butsu« anzurufen, damit einem die Sünden vergeben wurden und der Eintritt in das Paradies sicher war. Diese für alle zugängliche, auf breiter Basis angelegte Religion sprach die Gefühle weit mehr an als den Intellekt, was dem japanischen Cha‑ rakter entgegenkam. Die Anziehungskraft des: »Vergnügen in dieser Welt, Wonne in der nächsten« war unwiderstehlich.

Die Skulpturen der Fujiwara-Periode kehrten in einem gewissen *Skulptur* Sinne zu dem weicheren Geschmack der Nara-Periode zurück. Sie legten die schweren Formen und die abschreckende Gebärde der Frühen Heian-Periode ab, die das Produkt eines Buddhismus ge‑ wesen war, welchen der Hof nicht goutierte. Die Fujiwara-Sybari‑ ten hatten wenig Sympathie für die strengen Forderungen der Tendai- und Shingon-Schulen, noch liebten sie die Gewaltsamkeiten, welche ihre Mönche ausübten. Die Anziehungskraft der Sekte vom »Reinen Land« bestand darin, daß sie es mit beidem hielt, mit der

ABB. 22 – Fugen-bosatsu (»Der ringsum segensreiche Bodhisattva«). Farbe auf Seide. *12. Jahr‑ hundert. Meister unbekannt. 160,1 × 73,7 cm. National-Museum, Tōkyō. Vgl. Seite 98*

ABB. 23 – Kongō Rikishi. Holz, bemalt. Werk des Jōkei um 1288. *Höhe 162,6 cm. Kōfuku-ji‑ Tempel, Nara. Vgl. Seite 116*

Lebensweise des Hofes, wie auch mit der Sehnsucht des einfachen Volkes.

Neue Tempel Wieder entstanden im ganzen Land neue Tempel, und das Bedürfnis, diese Tempel mit Skulpturen auszustatten, wuchs rasch. Die alte Methode, die Statuen aus einem großen Block Holz zu schnitzen, war zu langsam und zu schwerfällig, um diese Bedürfnisse zu befriedigen. So entwickelten die Werkstätten ein besonderes System der Herstellung, indem sie eine große Anzahl von Einzelstücken zu einer dünnen Schale zusammensetzen, die dann durch den Meister überarbeitet wurden. Diese Methode wurde dann bei allen Werken dieser und der folgenden Perioden angewandt.

Es ist interessant zu beobachten, daß hier, ganz wie im Westen, große Meister-Bildhauer auftreten. In China war die Bildhauerei ein bescheidenes Handwerk, und die größten Meister sind nur selten mit Namen bekannt, im Gegensatz zu den Malern, die gelobt wurden und über die über zwei Jahrtausende hindurch immer berichtet wurde. In Japan wurden die Bildhauer Männer von Bedeutung mit eigenen Rechten, und Mäzene suchten eifrig ihre Dienste. Durch die Stellung, die sie in der Gesellschaft erreichten, konnten sie der Kunst der Zeit viel nachdrücklicher ihren eigenen Geschmack aufprägen, als wenn sie nur einfache Künstler gewesen wären, die die Befehle des Tempels ausgeführt hätten und den stereotypen Formeln folgten. Diese Unabhängigkeit ihrerseits wirkte sich auch auf die anderen Künste und Handwerksarten aus, die dadurch ebenfalls *Handwerk* Achtung erlangten. Kein Handwerk war zu niedrig, um nicht für künstlerische Zwecke benutzt zu werden; eine Haltung, die forthin alle japanische Kunst bereicherte. Der Fortgang dieser Entwicklung verlangte von den Künstlern Originalität, und so hatte auch dies weitreichenden Einfluß auf die spätere japanische Kunst.

Das Werk, in dem diese neuen Richtungen sich vereinigen, ist der
ABB. 20 Amida von Jōchō, der eine Werkstatt in dem Shichijō-Bezirk in Kyōto eingerichtet hatte und um 1057 starb. Die Statue wird in
FIG. 36 der Phönix-Halle des Byōdō-in-Tempels in Uji bei Kyōto aufbewahrt. Das Gebäude selbst ist ebenfalls interessant, denn es war ursprünglich ein Privathaus und wurde später (1052) in einen Tempel umgebaut und Amida-Buddha gewidmet. Einerseits ist es durch

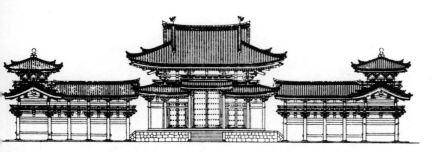

Fig. 36 – Aufriß der Phönixhalle des Byōdō-in-Tempels in Uji, Kyōto. Die Phönixhalle wurde 1052 in einen Tempel für Amida-Buddha umgewandelt. Vgl. Seite 94

die Architektur der chinesischen Sung-Dynastie beeinflußt, andererseits durch die Sehnsüchte der Sekte vom »Reinen Lande«. Die Intentionen waren, so weit als möglich, das Paradies des Amida, das den Gläubigen erwartet, auf Erden sichtbar zu machen. Es ist ein leichtes und graziöses Gebäude, das über den Wassern eines kleinen Teiches zu schweben scheint. Jōchō wurde in der Werkstatt des Kōfuku-ji-Tempels in Nara unterrichtet. So war er mit den einfach gestalteten Meisterwerken der alten Hauptstadt vertraut und zeigte, obgleich er in Kyōto arbeitete, wenig Sympathie für die Tendai- und Shingon-Attitüden.

Der Jōchō-Amida ist aus Holz, das mit einer dünnen Lackschicht überzogen ist; er sitzt ruhig und leidenschaftslos heiter in der Haltung der Meditation, geradeaus blickend, vor einem großen Nimbus mit einem ornamentierten Baldachin darüber. Die weichen Linien und die schmucklose Einfachheit kontrastiert wirkungsvoll mit der komplizierten Schnitzerei dahinter und darüber. Die Atmosphäre der Statue ist typisch für die veränderte Auffassung des Glaubens: freundlich und ruhig. Der dekorierte Nimbus, an dem kleine Figuren und Lotosblüten die Wiedergeburt der Seelen im Paradies darstellen, reflektiert die Vorliebe der Hofkreise für reichen Schmuck. Dazu sagt Watson: »Die Originalität dieser Formel liegt darin, daß man von den körperlichen Proportionen, um einen skulpturalen Effekt zu erzielen, einen neuen Gebrauch gemacht hat. Die Kraft der Figur ist nicht auf den Gesichtsausdruck beschränkt, sondern kommt aus der majestätischen Pose des ganzen Körpers.« Diese Figur wurde das Vorbild für zahllose vergoldete Holzfiguren späte-

Fig. 37 – Kei (Gong). Vergoldete Bronze. Länge 19,7 cm. Zenrin-ji-Tempel, Kyōto. Vgl. Seite 100

rer Jahrhunderte. Die verhältnismäßige Einfachheit der Konzeption macht es leicht, ihre äußeren Formen zu kopieren; doch die ständige Wiederholung führte zu einem immer größeren Verlust der Kraft, und so kann man es als ein klassisches Beispiel dafür betrachten, wie der Entwurf eines großen Meisters schematisiert und trocken wird.

ABB. 19 Ein wirkliches Meisterwerk in der Technik der zusammengesetzten Blöcke ist die Kichijō-ten in dem Jōruri-ji-Tempel in Kyōto. Die Statue ist ein reiches und kompliziertes Stück, an dem die schweren, sie fast einhüllenden Details, wie die Ärmel, Juwelen, Jacke, Schärpe und die äußerst feinen Hände alle in Holz gearbeitet sind. Sie wur-

Regenbogenschattierung den in fünf Farben bemalt, was die Japaner die »Regenbogenschattierung« nennen, und mit einem mit Goldstaub besprenkelten roten Hintergrund versehen. Das Ganze macht einen sehr kostbaren Eindruck, wie er für eine Göttin des Glücks passend ist. Solche Skulpturen konnten unmöglich aus einem einzigen Block geschnitzt wer-

ABB. 14 den. Die Statue erinnert an die rundliche Schönheit der T'ang-Zeit, wie sie auf dem Bild mit demselben Motiv aus der Nara-Periode zu sehen ist; aber diese Figur wurde sehr japanisiert, um die Delikatesse und Eleganz der Späten Heian-Zeit auszudrücken. Tatsächlich wird wohl die Statue zu Beginn der nächsten Periode entstanden sein, aber sie ist in ihrer Auffassung, in ihrer lebhaften Fröhlichkeit und Farbenfreude noch im wesentlichen Fujiwara-Periode. Der gemalte Schrein steigert diesen Eindruck.

Die neue Amida-Vorstellung, die Genshin einführte und in der Jōdo-Sekte populär machte, hatte eine weitreichende Wirkung auf die buddhistische Malerei. Einer der populärsten Bildtypen zeigt *Malerei* Amida, entweder allein oder von Assistenzfiguren begleitet, in Szenen, in denen er seinen Gruß an die Gläubigen im Paradiese richtet. Manchmal wird er gezeigt, als steige er über einer Landschaft im japanischen Stil aus seinem Himmel herab. Das berühmteste Gemälde dieser Amida-Paradies-Malerei ist der Amida mit den fünfundzwanzig Bodhisattvas, das in dem Daien-in-Tempel, einem Tempel, der zum Hauptsitz der Shingon-Schule auf dem Kōya-san-Berg gehört, aufbewahrt wird. Auf diesem großen Triptychon ist die Gottheit von all ihren himmlischen Heerscharen umgeben, die in einem eindrucksvollen Aufzug majestätisch auf die Erde herabwallen. Das Bild wird Genshin selbst zugeschrieben, obgleich es *Genshin* unwahrscheinlich ist, daß er es gemalt hat. Die Bodhisattvas werden, Musikinstrumente spielend, dargestellt oder tanzen in sehr reizvoller Weise, während der Buddha ruhig und ernsthaft dasitzt, und etwas unterhalb neben ihm stehen seine Hauptassistenzfiguren Kannon und Seishiki. Die abgestufte Farbigkeit verleiht der ganzen Szene Natürlichkeit und Wärme. Alles erscheint spontan, entspannt, fröhlich, farbenprächtig und reich an Detail. Dies war eine Vorstellung, die die Fujiwara-Höflinge verstehen konnten: ein Paradies, bevölkert mit reizenden Mädchen, die bereit waren, ihnen noch größere Wonnen zu bieten, als selbst sie in ihrer eigenen Welt des Genusses je gekannt hatten. In gleicher Weise war dieses Bild auch für das einfache Volk, dessen Schicksal ein ganz anderes war, anziehend. Wie weit entfernt ist diese traumartige Vision von dem trockenen Schematismus der frühen Heian-Mandalas und dem grimmigen Fudō.

Die Entwicklung zu einer anmutigen Natürlichkeit beeinflußte auch die älteren Sekten wie die Tendai- und die Shingon-Schule, die nun gezwungen waren, etwas ähnlich Anziehendes zu schaffen wie die neue Jōdo-Richtung. Häufig wurde der Bodhisattva Fugen (Sans-

ABB. 22

krit: Samantabhadra), die Gottheit des Mitleidens, gemalt, der die Zentralgestalt der populären Lotos-Sutra ist. Hier zeigt ihn der Künstler auf seinem Reittier, dem weißen Elefanten, sitzend, in der ruhigen Haltung eines Beters, und er beschreibt ihn als eine im Grunde weibliche Figur mit glanzvollem Juwelenschmuck und rosa getöntem Inkarnat. Der Fujiwara-Künstler hat hier das Sinnliche und Geistige auf sehr wirkungsvolle Weise kombiniert. Die Atmosphäre des Bildes ist intim und unprätentiös; es spricht den Intellekt wenig an und erreicht eine transzendentale Ruhe ohne die furchterregende Ferne der frühen Heian-Werke.

Die vielleicht eindrucksvollsten Werke der späten religiösen Heian-Malereien sind die, die Buddha zeigen, entweder im *nirvâna,* in dem Augenblick, als er mitten unter seinen trauernden Anhängern sein Erdenleben beendete, oder während jenes Wunders, als er im Glanz

ABB. 21

seinem goldenen Sarg entsteigt, um die Lehre zu predigen. Dies ist ein berühmtes Beispiel, was darüber hinaus in seinem Ursprung japanisch zu sein scheint, denn nichts Vergleichbares aus China ist erhalten geblieben. Der Künstler zeigt große Kunstfertigkeit in der Behandlung belebter Szenen. Alle die verschiedenen Buddhas, Bodhisattvas und heiligen Personen, einschließlich Buddhas Mutter, drängen in Überraschung um ihn und erwarten seine Predigt. Sein Körper erglänzt in einem goldenen Licht, das die ganze Szene zu erhellen scheint. Die verschiedenen Charaktere sind mit deutlicher Individualität porträtiert. Die Atmosphäre des Geschehens ist geschickt ausgenützt, aber nicht überspielt. Hier sind in einem religiösen Werk einige Charakteristika der japanischen Malerei: Porträtmalerei, Dramatik und Lebendigkeit, die die späteren Werke auszeichnen, bereits vorhanden.

Auf allen drei Malereien wandte man ein charakteristisch japanisches System der Dekoration an, indem man Blattgold, in sehr feine Streifen geschnitten, auf die Linien auflegte. Durch diese sogenannte *kirikane*-Technik erschienen viele Gemälde dieser Periode ungewöhnlich kostbar. Die Reinheit und Eleganz der Zeichnung, die

Fig. 38 – Keman. Bronze. Länge 28,5 cm. Breite 32,8 cm. Chūson-ji-Tempel, Präfektur Iwate. Vgl. Seite 100

durch diese schwierige Methode entsteht, ist außerordentlich, sowohl in technischer als auch künstlerischer Hinsicht.

Keramik Während die Keramik der Heian-Periode hinter der chinesischen Keramik weit zurück blieb, schufen die Metallarbeiter vieles, was an Qualität und Entwurf die chinesischen Stücke überflügelte und die japanischen künstlerischen Charakteristiken widerspiegelt. Wir *Metallarbeiten* haben ausgezeichnete Beispiele von Metallarbeiten aus der Nara-Periode, und die Heian-Periode setzte diese Tradition fort. Der allgemeine Sinn für Reichtum und Pracht wurde von dem China der T'ang-Periode übernommen; doch dem fügten die Japaner Wärme und bildhafte Qualitäten hinzu, die aus ihnen selbst stammten. Der FIG. 38 *keman* auf Fig. 38 ist ein Ersatz aus Metall für den ursprünglichen Blumenkranz, der im buddhistischen Tempel verwendet wurde, und der Bogen, der in den Entwurf aufgenommen wurde, offenbart seinen Ursprung. Der florale Hintergrund besteht aus päonienähnlichen Blüten, die nur Phantasiegebilde und indischen Ursprungs sind. Die zwei Figuren mit Vogelkörpern und jugendlichen Gesichtern sollen glückverheißende Vögel darstellen, die entsprechend der indischen Überlieferung in den Bergen leben und wunderbar singen. Selbst in einem solchen Stück der Handwerkskunst bringen die Japaner ihre ästhetischen und technischen Gaben zu einer Synthese und zeigen lebendiges Interesse an dem Genuß der Farbigkeit der Welt, die sie umgibt.

FIG. 37 Der Gong in Fig. 37, japanisch *kei,* gehört zu einem Typus, der an einem Gestell vor einer Buddhafigur hängt und den die Priester während der Sutren-Rezitation von Zeit zu Zeit anschlagen. Die Lotos-Arabesken rund um eine zentrale Lotosblüte als Anschlagstelle und das gekräuselte, alles überziehende Muster sind genügend variiert, um einen lebendigen Rhythmus zu verleihen. Das Muster wiederholt sich auf beiden Seiten; außerdem ist er vergoldet, was für diesen Typ sehr selten ist. In solchen Mustern scheinen die Japaner ebenso gut zu sein wie die Chinesen. Sie erinnern an das, was die Chinesen dann Jahrhunderte später in rotem Lack herstellen werden.

Die beiden oben erwähnten Gegenstände sind japanisch, aber durch die chinesische Art und Weise, ein Muster zu gestalten, angeregt.

Die neue japanische Gestaltungsart illustriert die Rückseite eines Metallspiegels in Fig. 39. Hier sind zwei Reiher asymmetrisch in eine Wasserlandschaft gestellt; einer von ihnen fliegt mit einem Zweig im Schnabel auf, während der andere auf einem Bein im Wasser steht. Ein starker Wind bläst die Pflanzen, so daß sie sich biegen und der Rundung des Spiegels folgen. Die Tendenz, mit einem einzelnen Muster, in welchem naturalistische Motive mit stilisierten Pflanzen kombiniert sind, die chinesischen, sich über die ganze Fläche hin wiederholenden Muster zu ersetzen, wurde in den folgenden Jahrhunderten immer stärker. Es führte die japanische

FIG. 39

Fig. 39 – Bronzespiegel. Mit Pflanzen- und Kranich-Dekor. Durchmesser 24,5 cm. Vgl. oben

Begabung für das Dekorative zu einer einzigartigen Qualität, die die Keramik, Textilien und Lackarbeiten ebenso wie die Metallarbeiten auszeichnet. Die Überschwenglichkeit, mit welcher das Muster über den Rand drängt, die Verschiedenartigkeit der Blätter, die sehr geschickt plaziert und variiert sind, sind im wesentlichen japanisch und finden in einem Teller aus dem 18. Jahrhundert ebenso ihren Ausdruck wie in diesem frühen Spiegel.

Ungefähr seit dem Jahr 1068 nahm die Macht der Fujiwara-Familie ab. Die weibliche Linie, die viele Kaiser beherrscht hatte, wurde schwach oder sogar steril, und in ihren eigenen Reihen kam Uneinigkeit auf. Neue Männer, die sich auf ihre eigenen Talente verließen, drängten nach vorn, und die Landadligen gelangten in steigendem Maße zu Einfluß. Die Zentralregierung näherte sich, infolge verschwenderischen Aufwands, dem finanziellen Zusammenbruch, und die schwindenden Steuereinnahmen konnten den Schatz nicht wieder auffüllen. Die Bühne war für die Übernahme der Macht durch neue Männer und stärkere Führer bereit.

Als die Fujiwara-Familie an Macht verlor, war der Kaiser noch stärker als bisher gezwungen, sich auf den an Einfluß zunehmenden Provinzadel im ganzen Land als seine letzte Stütze zu verlassen. Dadurch kam er schließlich vollständig in die Gewalt der Landedelleute. Obgleich er, solange keiner von ihnen eine dominierende Machtstellung inne hatte, bis dahin relativ sicher war, war es doch nur eine Frage der Zeit, wie lange er das Gleichgewicht halten konnte und daß einer von ihnen die eigentliche Macht im Lande übernahm. Die Schwäche des Kaisers ermutigte die provinzialen Landesherren, sich der Zentralregierung zu widersetzen, wenn – wie es oft geschah – ihr eigenes Interesse auf dem Spiele stand. Revolten waren sehr häufig, und es wurde viel Blut vergossen, sie niederzuschlagen. Die Rivalitäten zwischen den verschiedenen Landedelleuten beschränkten sich schließlich von selbst auf einen Machtkampf zwischen zwei großen Adelsfamilien: den Taira und den Minamoto. Beide Familien waren durch Blutsbande eng mit dem kaiserlichen Haus verbunden und ihre Interessen, die hauptsächlich wirtschaftlicher Natur waren, prallten oft aufeinander. Die Verlagerung der Macht auf die Landaristokratie war die Hauptveränderung im politischen Leben seit dem Jahre 900. In der Kamakura-Periode beschleunigte sich dieser Prozeß. Die weitere Geschichte Japans ist die Geschichte unablässiger Kämpfe und der Bemühung, politische Stabilität zu erreichen.

Machtkampf der Adelsfamilien

Gleichzeitig mit den Clans-Rivalitäten wurde die Organisation einer militärischen Kaste, die der *samurai,* vervollkommnet. Sie war aus den Bedürfnissen der kleinen Bauern in abseitsliegenden Gebieten, besonders im Osten, entstanden, sich einerseits vor den Angriffen aufrührerischer Stämme, ausgestoßener Rebellen und anderer Adliger und andererseits vor der Raubgier der Autoritäten der Zentralregierung zu schützen. Indem sich die Bauern gegen eine Abgabe unter den Schutz eines großen Landbesitzers begaben, war

Samurai

der Adlige seinerseits verpflichtet, eine Armee aufzustellen, um ihnen damit seinen Schutz zu gewähren. So entstanden private Armeen, die zur ländlichen und hauptstädtischen Szenerie gehörten; bis zum Sieg der Minamoto waren sie eine ständige Quelle der Unruhe.

Die Dienstmannen der Adligen, die *samurai*, hatten ihren Hauptleuten absolute persönliche Loyalität zu schwören und waren durch wirtschaftliche und verwandtschaftliche Bande mit ihnen fest verbunden. Ihr Ehrenkodex, *bushidō*, »Weg des Ritters«, hat seine romantische und anziehende Seite, die durch die Literatur noch unterstrichen wird. Das *bushidō* brachte großes Heldentum hervor, aber dem Westen erscheinen die Taten seiner Ritter, die so oft am Ende doch untergingen, von allzu viel Grausamkeit, Verrat, Betrug und Brudermord überschattet. Jedoch um die Psyche der Japaner auch in der Gegenwart zu verstehen, muß man die Komplexität des *samurai*-Kodex zu würdigen wissen.

Bushidō

Einmal erfolgreich, errichteten die Minamoto ihr Hauptquartier in Kamakura, ungefähr 300 Meilen nordöstlich von Kyōto. Dies war das erste Mal, daß sich das Zentrum des Landes außerhalb der Kyōto-Nara-Ära befand. Diese Veränderung war zweifellos durch den Wunsch der strengen Krieger bedingt, ihre kämpfenden Männer von dem enervierenden Einfluß des Hoflebens fernzuhalten, obgleich viele von ihnen es heimlich beneidet haben. Yoritomo, als der Oberbefehlshaber, verbot seinen Vasallen, den Hof zu betreten. Kyōto blieb eine prunkvolle Stätte, eine müßige Stadt der Tempel und Paläste, farbig belebt durch entleerte Zeremonien, aber für eine Zeit vollständig aller Macht beraubt. Doch ist es bezeichnend, daß die kaiserliche Linie überlebte und immer erhalten blieb.

Minamoto

Minamoto no Yoritomo, der Sieger im Machtkampf, war sich der Notwendigkeit eines Wechsels voll bewußt, obgleich er anfangs wahrscheinlich die Verantwortung, die ihm seine Position einbrachte, nicht in ihrem ganzen Umfang erkannte. Wahrscheinlich sah er sich selbst als einen *primum inter pares*. Er war bereit, den Kaiser als Mittel zu benutzen, die Männer zu kontrollieren, die so gewaltsam und grausam wie er waren, und seine eigenen Interessen zu schützen. Er verließ sich vollkommen auf seine Vasallen und war bestrebt, durch die gerechte Anerkennung ihrer Dienste ihre Zufriedenheit zu erhalten und durch strenge Disziplin sich ihren Gehorsam zu sichern.

In dieser Atmosphäre politischen und sozialen Umbruchs folgten viele gute Männer von niederer Abkunft, für die ein Aufstieg in der von Privilegien beherrschten Welt Kyōtos unmöglich war, Yoritomo; und in Kamakura, wo ihre administrativen Talente willkommen waren, half ihre Lebensart, die rauhe Atmosphäre des Militärlagers zu überwinden. Wie immer in fernöstlichen Ländern, begriffen die Herrscher von Kamakura bald, wie vorteilhaft es war, ihre Macht in einen Mantel von Respektabilität und Gelehrsamkeit zu hüllen. Die Kamakura-Shōgune lernten, daß die Schmeicheleien des Hoflebens mächtiger waren als die kaiserlichen Armeen.

Die Kamakura-Militärmacht war im ganzen eine strenge Herrschaft, besonders in bezug auf die Verteilung von Land, welche ihr fundamentales Interesse darstellte. Aber was als militärische Diktatur begann, nahm bald die Formen des vertrauten Schemas der japanischen Machtteilung an. Seltsamerweise stammte die Hōjō-Familie, *Hōjō* die den Minamoto folgte und die eigentliche Macht übernahm, von den Taira ab, welche Yoritomo vernichtet hatte. Sansom hat die Situation des 13. Jahrhunderts treffend charakterisiert als »das erstaunliche Schauspiel eines Staates, an dessen Spitze ein Titular-Kaiser stand, dessen rudimentäre Funktionen durch einen abgedankten Kaiser usurpiert worden waren und dessen wirkliche Macht normalerweise auf einen erblichen Militärdiktator übertragen, tatsächlich aber durch einen erblichen Ratgeber dieses Diktators gehandhabt wurde«. Nur die Japaner konnten ein solches System einrichten.

Die Kamakura-Periode ist das letzte große Zeitalter der japanischen *Skulptur* Skulptur, die einen großartigen Höhepunkt um die Jahre zwischen 1250 und 1400 erreichte. In Kyōto und Nara entstanden Schulen und Werkstätten, und das Verlangen nach Skulpturen war außerordentlich. Die berühmtesten dieser Werkstätten waren die In- und die En-Schule in Kyōto und die Kei-Schule in Nara, zu der die berühmtesten Künstler wie Unkei, Kaikei und Jōkei gehörten, *Unkei, Kaikei, Jōkei* Namen, die das Zeitalter beherrschten. Mit der Verlagerung der

Fig. 40 – Shariden-Reliquienhalle des Engaku-ji-Tempels, Kamakura. Vgl. Seite 113

Macht in die Hände mächtiger Politiker änderte sich die Atmosphäre in den Künsten radikal. Dahin war der weiche, reizvolle Charme der späten Fujiwara-Zeit mit seiner Süße und idealen Schönheit. Ihre Stelle nahm ein kräftiger Naturalismus ein, der den Geschmack der Kamakura-Periode bestimmte. Die Skulpturen der Götter und Priester wurden jetzt zu getreuen Wiedergaben weltlicher Wesen und als Rundplastik geschnitzt. Ihre Gewänder waren so überzeugend dargestellt, daß man glaubte, ihren Stoff zu spüren. Selbst die Augen, aus Kristall eingesetzt, glitzern mit überraschender Realität in den Lichtern des Tempels. Einzeln geschnitzte Juwelen und Schwerter erhöhten noch den naturalistischen Eindruck der Skulptur. Dieser Effekt ist von einer eindrucksvollen Direktheit, die, verbunden mit der japanischen Begabung für die Darstellung von Oberflächentextur und Porträt, oft erregend ist.

Die Frage nach dem, was diese neue Darstellungsweise hervorrief, ist von besonderer Bedeutung. Japanische Historiker schreiben ihre Entstehung den Bürgerkriegen von 1180 zu. Diese hatten zur Folge, daß viele der Meisterwerke von Nara zerstört wurden. Als Friede und Ordnung einzogen, befahlen die neuen Herren den Werkstätten, die beschädigten Stücke zu reparieren und die Verluste zu ersetzen. Dies brachte die Handwerker in den engsten Kontakt mit den großen Meisterwerken der Nara-Periode. Gewiß spielte das neue Interesse an der Literatur und Kunst der Vergangenheit beim Aufblühen der japanischen Kunst eine große Rolle. Nicht nur, daß Arme und Beine repariert und ersetzt wurden, auch Faksimiles der verlorenen Werke wurden hergestellt. Die Kunst von Nara, die die Handwerker, durch die Umstände gezwungen, zu studieren hatten, besaß eine Einfachheit der Gestaltung, welche die Menschen der Kamakura-Periode anzog. Aber während sich die Nara-Bildhauer darum bemüht hatten, eine innere Spiritualität darzustellen, bleibt die Direktheit des Kamakura-Stils, so eindrucksvoll er oft sein mag, im eigentlichen an der Oberfläche. Man kann die tiefe Anziehungskraft mancher Porträts nicht verleugnen, aber ihre Erscheinung ist überfeinert, manchmal sogar in der Ablehnung der Überfeinerung. Einige Kritiker stimmen mit dieser Meinung nicht überein, aber die Kunst von Kamakura ist in ihrem Wesen mehr dynamisch als kontemplativ, kämpferisch mehr im Menschlichen als im Geistigen. Dies war teilweise auf die Tatsache zurückzuführen, daß die neuen buddhistischen Schulen wie z. B. die Shinrin-Schule, gegründet durch Shinran (1173–1262), und die Nichiren-Schule, gegründet durch Nichiren (1222–1282), sich in verstärktem Maße an den einfachen Mann und sogar zum ersten Male an die Frauen wandten. Diese einfachen Menschen verlangten eine unkomplizierte Haltung, die ganz anders war als die der Fujiwara-Theologen. In einem Zeitalter, in dem große Persönlichkeiten die Szene beherrschen, schafft sich das religiöse Leben seine eigenen Heroen.

Shinrin- und Nichiren-Schule

Auf der anderen Seite ist es möglich, daß man den Einfluß Naras überschätzt. Denn Japan trat aus der Periode, in der es von seiner geistigen Ziehmutter China isoliert gewesen war, heraus, und am Ende der Fujiwara-Periode konnten die japanischen Priester ihre Kontakte wieder aufnehmen; eine neue Ära des Austausches religiöser Erfahrungen und der Kunst begann. Wir wissen, daß der Priester Chōgen, der den Tōdai-ji-Tempel errichtete, China nicht weniger als dreimal besuchte, um die großen künstlerischen Ideen der Sung-Dynastie (960–1279) zu studieren. Der Große Buddha vom Tōdai-ji-Tempel wurde mit Hilfe chinesischer Handwerker restauriert, und die Sung-Architektur kam in Mode, besonders in

Sung-Einfluß Kamakura, wo man noch heute Gebäude im Sung-Stil sehen kann. Die graziösen Proportionen, die eleganten Strukturen halten die Erinnerung an die großen Tage des Sung-China wach, gerade so wie Nara an das China der T'ang-Periode. Die von der Sung-Skulptur ausgehende Inspiration war in gleicher Weise evident, wie neuerliche Forschungen in China erwiesen haben (ich komme noch darauf

Architektur zurück). Die Architektur aus der Kamakura-Periode ist ein sehr komplexer Gegenstand. Soper[1] beschreibt sie in der bisher besten Darstellung über dieses Thema als »eine fast anarchische Mannigfaltigkeit«. Der Wiederaufbau, der nach den Bürgerkriegen notwendig geworden war, veranlaßte die Restauratoren – wie wir es auch in der Skulptur sehen werden – sich den Stilen der Nara-Zeit zuzuwenden. Darüber hinaus vermischten sich exotische chinesische Stile, hauptsächlich aus dem Süden Chinas, mit den einheimi-

»Indischer Stil« schen, in Japan entwickelten früheren Stilen. Ein sogenannter »Indischer Stil«, obgleich er schwer und ornamentreich ist, scheint keine Beziehungen zu Indien zu haben, sondern hat sehr wahrscheinlich seinen Ursprung auch im Küstengebiet Südchinas. Der Einfluß der

Einfluß der Zen-Schule neugegründeten, weitverbreiteten Zen-Schule (über die wir im nächsten Kapitel sprechen werden) war in bezug auf die chinesischen Stile recht beträchtlich; denn japanische Zen-Priester gingen nach China, um dort die Tempel zu studieren, die sie in Japan

Zen-Tempel nachbauen wollten. In den Zen-Tempeln sind die Hallen gewöhn-

[1] A. Soper in L. Sickman und A. Soper, »The Art and Architecture of Japan«, London 1955, S. 233

ABB. 24 – Muchaku. Holz, bemalt. Werk des Unkei und seiner Schule. *Höhe 195 cm. Kōfuku-ji-Tempel, Nara. Vgl. Seite 114*

ABB. 25 – Uesugi Shigefusa. Holz. Meister unbekannt. *Höhe 68,6 cm. Meigetsu-in-Tempel, Kamakura. Vgl. Seite 118*

24

25

6

27

lich groß und leer; denn sie haben nur die Aufgabe, die versammelte Priesterschaft aufzunehmen. Ihre Gleichförmigkeit wird nur durch eine Leseplattform mit Treppen, die zu ihr hinaufführen, und einen großen Thron für den Abt unterbrochen. Im allgemeinen wurde die Halle von einem einfachen Umgang umgeben.

Ganz allgemein gesprochen, zeigte die Kamakura-Skulptur zwei Hauptmerkmale: auf der einen Seite die Grazie und Eleganz des Sung-Stiles (obgleich auf einer viel niedrigeren Stufe), die von einer im Fujiwara-Geschmack erzogenen Bevölkerung schnell aufgenommen wurden; auf der anderen Seite die nüchternen Tendenzen der frühen Kamakura-Krieger, die mehr mit den Architektur-Idealen des Zen sympathisierten. Wie die kaiserlichen Gönner vor ihm, verschaffte Yoritomo für solche wichtigen Restaurationsprojekte wie den Tōdai-ji-Tempel die Geldmittel, und Priestern wie Chōgen wurde Gelegenheit gegeben, in China zu studieren und zu arbeiten, um dann an ihre Aufgaben nach Japan zurückzukehren.

Die Shariden-Reliquienhalle im Engaku-ji-Tempel in Kamakura FIG. 40 ist das einzige erhaltengebliebene Gebäude von den ursprünglich Fünf Großen Zen-Tempeln von Kamakura. Paradoxerweise ist sie, obwohl ein Zen-Tempel, im chinesischen Stil errichtet, den chinesische Priester herübergebracht hatten. Charakteristisch ist das kompakte Konsolensystem, das den ganzen Raum unter der Dachtraufe ausfüllt. Jedoch der Eindruck des Überschweren wurde gemildert, indem man Teile der Konsolen schlanker machte und ihnen graziöse Kurven gab. Das oberlastige, strohgedeckte Dach ist eine spätere Restauration, die das Original, das viel niedriger war und besser zu den allgemeinen Proportionen paßte, ersetzte.

Die Haupthalle des Saimyō-ji-Tempel in der Nähe von Kyōto ist FIG. 41 eine Mischung aus verschiedenen Elementen, aber sie steht mit ihrem einfachen rechteckigen Grundriß, mit ihrer geringen Höhe

ABB. 26 – Minamoto no Yoritomo. Farbe auf Seide. Zugeschrieben Fujiwara Takanobu (1142 bis 1205). *139,8 × 111,8 cm. Jingo-ji-Tempel, Kyōto. Vgl. Seite 119*

ABB. 27 – Kōbō Daishi als Kind, Detail. Farbe auf Seide. Meister unbekannt. *45,7 × 38,1 cm. Sammlung Murayama, Mikage. Vgl. Seite 120*

Fig. 41 – Haupthalle des Saimyō-ji-Tempels, Kyōto. Vgl. Seite 113

und der Vorhalle an der Vorderseite dem Geist von Kamakura näher.

Die Zen-Schule stand, obgleich populär, auf keiner breiten Grundlage. Andere neue Schulen des Buddhismus sorgten für den einfachen Menschen und forderten aus diesem Grunde leicht verständliche Symbole. Zu den Ergebnissen dieser Bemühungen gehört es, daß nun die Porträt-Künstler zu ihrem Recht kamen.

Porträtkunst　Die Vollendung der klassischen japanischen Porträtkunst ist an den beiden überlebensgroßen Figuren des Asanga und des Vasubandhu im Kōfuku-ji-Tempel in Nara zu erkennen. Von diesen beiden indischen Priestern, in Japan als Muchaku und Seshin bekannt, wird berichtet, daß sie tausend Jahre nach dem *nirvâna* des Buddha gelebt und ihre Lehre in der Hossō-Schule niedergelegt hätten, zu welcher der Kōfuku-ji-Tempel gehört. Die Statuen wurden 1208 unter der Oberaufsicht von Unkei begonnen und mit Hilfe seiner sechs Söhne und zwei Schüler vollendet.

ABB. 24

Die untersetzten Körper der beiden Priester sind vollkommen rundplastisch geschnitzt mit allen Möglichkeiten des Realismus. Die Falten der Gewänder schwingen in schwerem Rhythmus quer über die Körper und fallen an den langen Ärmeln mit natürlicher Leich-

tigkeit. Die aufrechte Haltung und die schweren Gestalten drücken
das Wesen des kampflustigen Glaubens aus. Die asymmetrische Pose
erhöht den Eindruck gebändigter Kraft. In dem intensiven Gesicht
mit den tiefliegenden Augen, den kräftigen Lippen und der großen
Nase ist nichts idealisiert. Die Knochen und Muskeln, die guten
und die schlechten Merkmale sind einer neuen kritischen Betrach-
tungsweise unterworfen.

Diese Porträts bieten interessantes Vergleichsmaterial zu den idea-
lisierten Porträts der Nara-Periode (s. Kap. III, Abb. 12). Dort
hat sich der Künstler auf die Sichtbarmachung einer inneren
Geistigkeit konzentriert. Die dargestellte Figur ist fast immer ein
Gott oder Halbgott, ein Heiliger, wie wir in der christlichen Kunst
sagen würden. Die Kamakura-Priester sind Menschen unter Menschen mit ihren menschlichen, ins Heldische vergrößerten Eigenschaften. Das Kämpferische der *samurai* spiegelt sich in ihren strengen, mächtigen Körpern; sie sind in der Tat Männer, die einem
Ruf zu den Waffen ebenso wie ein Krieger willig folgen würden.
Mithin sind dies Bildwerke, die auch einen Krieger ansprechen.
Die Verwirrung einer komplizierten Ikonographie ist verschwunden.
Ihre Gesichter spiegeln die Kämpfe des Glaubens gegen die menschlichen Probleme wider. Die Einfachheit, die ruhigen Auffassungen
aus der Nara-Zeit konnten in einem Zeitalter wie dem der Kamakura-Periode, die so viel Bitternis und Gewalttätigkeit gesehen hatte,
nicht wiedergegeben werden. Vor allem war die einfache Begeisterung des Nara-Glaubens verschwunden.

Obgleich man versucht ist, in diesen außerordentlichen Porträts
eine rein japanische Entwicklung zu sehen, muß man sich auf der
Suche nach dem Prototypus wieder nach China wenden. Die Skulptur der Sung-Periode (960–1279) zeigt eine ähnliche Konzentration
auf die Oberflächentextur und die lebenswahren körperlichen Merkmale, bei den Porträts mehr als bei den Gottheiten. In den Höhlen-
tempelanlagen von Mai-chi-shan, die erst jetzt wiederentdeckt wurden, befinden sich Priesterfiguren, die die Prototypen der Kōfuku-
ji-Statuen sein könnten. Die Japaner haben, wie es so oft der Fall
war, die in China geschaffenen Prototypen in einer Weise verfeinert,
daß sie die chinesischen Statuen übertreffen. Auf Grund solcher

Mai-chi-shan
FIG. 42

Adaptionen und Entwicklungen geriet die japanische Kultur – oft ganz ungerechterweise – in den Ruf, derivativ zu sein.

FIG. 43 Es wäre ungerecht, die Expressivität der Kamakura-Bildwerke ausschließlich dem neuen sozialen Klima zuzuschreiben. Die expressiven Aspekte der buddhistischen Ikonographie sind bereits von den *lokapâla* oder »Welthütern« aus der Nara-Zeit und von den schrekkenerregenden Fudō der frühen Heian-Zeit (s. Kap. IV, Abb. 17) bekannt. In der Tat sprechen sie einen leidenschaftlichen Zug im japanischen Temperament an, jenes Element des Extremismus, das von Zeit zu Zeit diejenigen überrascht, die sich seiner Ursprünge nicht bewußt sind. Veränderungen in Japan wie die Einführung chinesischer oder westlicher Kultur waren immer sehr plötzlich eingetreten und oft von Heftigkeit begleitet. Gleichzeitig ist die Disziplin immer streng, so daß dann, wenn sie zeitweise aufgehoben ist, das Pendel schnell zu einem völligen Mangel an Zucht ausschwingt. So ist es leicht zu verstehen, daß in einer Zeit wie der Kamakura-Periode die kriegerischen Gottheiten auf Sympathie stoßen und ihre Attribute leicht verstanden werden.

ABB. 23 So steht der Kongō Rikishi in Abb. 23 in einer langen Linie von Beschützern der Heiligtümer. Wahrscheinlich wurde er von Jōkei in der Zeit zwischen 1190 und 1198 geschaffen. Die plastischen Qualitäten dieser Statue sind hervorragend: knotige Muskeln treten aus dem nackten Oberkörper hervor, die Adern und Sehnen werden unter der gespannten Haut sichtbar, der Augenblick des Schlagens ist in einer erstarrten Bewegung festgehalten. Die Bewegtheit des Gewandes, das wie von einem plötzlichen Wind gebauscht erscheint, unterstreicht den expressiven Gesamteindruck der Komposition. Die Stellung der Arme gleicht der Bewegung beim Bogenspannen. Das einzige, die Heftigkeit der Darstellung mildernde Moment ist das Spiel des Dekors am Gewand. Die engstehenden Kristallaugen durchdringen den Betrachter, der weitgeöffnete Mund symbolisiert die ausströmende Kraft. In der heftigen, gesteigerten Aktion dieses »Vajra-Trägers« aus der Kamakura-Zeit sind alle Flächen ruhelos und in Bewegung. Doch die Balance, die in weniger geschickten Händen so leicht hätte zerstört werden können, ist hier vollkommen behauptet. Der Bildhauer hat sich über die Herausforderung des

*Fig. 42 – Lohan (Buddha-Schüler). Ton; in der
Sung-Periode stark restauriert. Aus Grotte 90,
Mai-chi-shan, Nordchina. Vgl. Seite 115*

komplexen Details, eine Prüfung seiner Geschicklichkeit, erhoben.
Diese Skulptur stellt eine Übersteigerung dar, die späteren Bild-
hauern zur Gefahr wurde, die aber hier noch gebannt ist. Wieder
einmal kommt das Vorbild zu diesem Typus aus China, und die
Grottentempel von Mai-chi-shan bieten einen Anhaltspunkt.
Während der Kamakura-Periode kam ein vollständig neuer Typus
der Plastik auf. Dieser unterscheidet sich völlig von den Werken
der buddhistischen Schulen, obgleich er in einem gewissen Grade
in Muchaku und Seshin aus dem frühen 13. Jahrhundert und in
einigen früheren Werken bereits angedeutet ist. Wie die Priester in
solchen Porträts gefeiert wurden, so ließen einige bedeutende Krieger und Staatsmänner bereitwillig ihr Bild in Holz schnitzen; denn
es war ein Zeitalter, in dem man die Persönlichkeit sehr schätzte.
Der Zweck solcher Erinnerungsbildwerke war vielleicht eine Art
Anerkennung ihrer Unterstützung eines besonderen Tempels. Solche
Männer waren schließlich denen gegenüber, deren Macht sie usur-
pierten, verhältnismäßig unsicher, und da gibt es keine bessere
Manifestation ihrer Position als ein Porträt. Das schönste Beispiel

FIG. 43

Porträtplastik

117

ABB. 25 dieser säkularen Statuen ist die des Uesugi Shigefusa, aufgestellt im Meigetsu-in-Tempel, einem kleinen Tempel, der zu dem größeren Zenkō-ji-Tempel bei Kamakura gehört.

Über Uesugi Shigefusa selbst ist wenig bekannt; er scheint in der Geschichte dieses Zeitalters eine relativ geringe Rolle gespielt zu haben. Er ließ sich 1252 in Kamakura nieder, und die Statue wurde wahrscheinlich einige Jahre später gemacht, um in dem Tempel aufgestellt zu werden, den er protegierte. Die Technik, bei der eine Figur aus mehreren Blöcken zusammengesetzt wurde, ermöglichte es, eine Skulptur von solch ungewöhnlichen Konturen zu schaffen. Mit ihren beinahe dreieckigen Beinen und dem rechteckigen Oberkörper wirkt sie fast geometrisch; pyramidenförmig steigt sie zu dem runden, aus einem einzigen Holzblock gehauenen und mit einer hohen Mütze bekrönten Kopf auf. Dies gibt ihr eine charakteristische Stabilität und Balance. Der Bildhauer war offenbar von den formellen Hofgewändern fasziniert, die ursprünglich durch mit Lack getränkten, bemalten Stoff, der die Verbindungsstellen verdeckte, dargestellt waren. Ihr Dekor ist heute verschwunden, nur das weiße Untergewand ist geblieben. Die weichen, symmetrischen Wellen der Hosen, die etwas steife, flache Vorderseite, die von den Schultern fallenden Falten und die weiten Ärmel haben eine eigentümliche rhythmische Schönheit.

Das Gesicht des Shigefusa ist keineswegs ein idealisiertes Porträt. Es hat die Strenge, aber nicht die Härte Yoritomos, dessen Porträt wir dann erörtern werden. Das starre Gewand, das elegant aber unpersönlich ist, betont das sehr ausdrucksvoll charakterisierte Gesicht. Die vollen Lippen deuten weltliche Sinnlichkeit an. Die weichen Hände sind eher die eines Hofmannes als eines Kriegers. Die leichte Vorwärtsneigung des Kopfes gibt der Statue darüber hinaus eine kontemplative Haltung. Das ganze ist sehr organisch komponiert. Die Verteilung von Licht und Schatten ruft einen Eindruck von Ruhe und Bewegtheit hervor. Vor allem aber spürt man unter der äußerst formellen und steifen Oberfläche eine innere Gelöstheit. Dies hebt das Artifizielle wieder auf und macht die andernfalls zu übertrieben wirkende Konzeption glaubwürdig. In einem solchen Werk sind zwei Charakteristika der japanischen Kunst – das Dramatische und das Lyrische – eine vollkommene Harmonie eingegangen. Das Genie des Künstlers zeigt sich darin, wie er Stolz ohne Arroganz, Macht ohne Härte und Förmlichkeit ohne Starrheit darzustellen versteht.

Von der Skulptur des Shigefusa ist es nur ein Schritt zum Porträt des Minamoto no Yoritomo. Es ist eines der vier Porträts großer ABB. 26 Staatsmänner, die im Jingo-ji-Tempel in Kyōto aufbewahrt werden, und wird mit ziemlicher Sicherheit dem Maler und Dichter Fujiwara Takanobu (1143–1206) zugeschrieben. Minamoto no Yori *Minamoto no Yoritomo* tomo war der Hauptgegner des Taira-Clans. Im Exil baute er in den östlichen Provinzen seine Streitkräfte auf, indem er für seine Sache wichtige Kriegerfamilien gewann, bis er in der Lage war, seine Gegner niederzuschlagen. Als er 1199 starb, hatte er die Shōgunats-Regierung *(bakufu)* in Kamakura begründet und den Kriegerstand zur herrschenden Klasse gemacht. Ein scharfsinniger Intrigant, war er zugleich auch ein entschlossener Führer, der rücksichtslos alle Rivalen beseitigte, selbst seinen populären jüngeren Bruder Yoshitsune, dem er mißtraute. Der Kampf zwischen den beiden Brüdern ist einer der Vorgänge in der japanischen Geschichte, die immer wieder in Romanzen und Dramen besungen wurden.

Wenn er auch gelegentlich brutal sein konnte, behandelte er seine Gefolgsleute doch im ganzen gerecht. Er war argwöhnisch, aber in einer Zeit, in der Argwohn vermutlich gerechtfertigt war. Er war aber vor allem ein geschickter Staatsmann, dessen Handlungen sämtliche darauf gerichtet waren, das Reich zu beherrschen. Belustigt stellen die Japaner eine seiner wenigen »menschlichen« Charaktereigenheiten heraus – die Furcht vor seinem Weib! Sein Porträt zeigt einen Mann von harter Entschlossenheit, vielleicht nicht angenehm, doch ernst und weitsichtig, einen fähigen Verwaltungsmann, mit dem nicht zu spaßen war. Er war kalt, und oft dürfte er unmenschlich erschienen sein; aber er war ein Mann mit revolutionärer Begeisterung, der wußte, wie er die Herrschaft über das Reich erlangen konnte, der überzeugt war von seiner Fähigkeit, es zu schaffen. Nachdem er die Macht erlangt hatte, war er bereit, großmütig zu handeln. Er beschäftigte Männer, die etwas zu leisten vermochten. Er war vorsichtig und jederzeit ein Staatsmann. Die strenge und schlaue Seite seines Charakters wird in diesem Porträt deutlich sichtbar, und vielleicht kann man sogar einen Zug von Perfidie hineinlesen. Es ist ein grimmiges und nüchternes Gesicht, aber es ist typisch für die Anführer des japanischen Militäradels; ein Gesicht, auf das man gelegentlich in den höheren Schichten des modernen japanischen Geschäftslebens trifft. Die Konturen sind stark, die Farben dunkel. Das Hofgewand und die entsprechende Kopfbedeckung rufen einen feierlichen Eindruck hervor. Das Gewand führt den Blick des Betrachters mit fast geometrischer Genauigkeit auf das bleiche Gesicht hin. Darüber hinaus unterstreicht der Regentenstab noch diese Blickrichtung. Unter den Gewändern ragt der Griff eines Schwertes hervor, das Symbol seiner Macht, die entscheidende Autorität in einem leidenschaftlichen, ehrgeizigen Zeitalter.

Chinsō Die Begabungen des japanischen Künstlers für das Porträt beschränken sich nicht nur auf die Krieger. Viele Priester wurden mit einem besonderen Typus der Porträtmalerei, dem sogenannten *chinsō*, verherrlicht, wo sie mit achtunggebietendem Gesichtsausdruck meist auf einem Thronsessel sitzend dargestellt werden. Dieser Bildtypus wurde vom Zen beeinflußt und ist vermutlich auf dem Festland in der T'ang-Zeit entstanden, wenngleich nur wenige chinesische Originale aus dieser Zeit überliefert sind. Aus dem Japan der Kamakura-Periode sind mehr auf uns gekommen. Die Vorliebe für solche Porträts wurde in Japan sowohl in der Malerei als auch in *Kinderporträts* der Skulptur auch auf Kinderporträts ausgedehnt. Beliebt waren imagi- ABB. 27 nierte Porträts des jungen Prinzen Shōtoku. Abb. 27 zeigt Kōbō Daishi, den großen Priester-Gelehrten, der die Shingon-Sekte nach Japan einführte (s. Kap. IV, Seite 76), als ein Kind von fünf oder sechs Jahren. Die Überlieferung berichtet, daß er einen Traum hatte, in dem er sich selbst auf einem achtblättrigen Lotos sitzen sah, mit verschiedenen Göttern die Grundbegriffe des Buddhismus erörternd. Sein schönes Gewand, das mit silbernen Blumen auf weißem Untergrund geschmückt ist, dient als ideale Folie für das

Fig. 43 – Wächter. Ton, 6. Jahrhundert; in der Sung-Periode stark restauriert. Links auf der Galerie vor Grotte 4, Mai-chi-shan, Nordchina. Vgl. Seite 117

kindliche, ernste Gesicht und die zum Gebet geschlossenen Hände. Paine sagt dazu: »Der Zauber der realistisch dargestellten Kindheit verbindet sich mit den einfach aufgefaßten Symbolen des Heiligenscheins und des Thrones, um ein rührendes und lauteres buddhistisches Bild zu schaffen... es besitzt eine doppelte Anziehungskraft durch die alltäglichen menschlichen Gefühle, verbunden mit der Haltung der Heroenverehrung.«[1] Die Liebe zu den Kindern und das, was man heute den Persönlichkeitskult nennen würde, sind zwei gewichtige Grundzüge der japanischen Mentalität, doch findet man sie selten auf solche Weise vereinigt.

Die meisten Historiker sind sich einig, daß die japanische Kunst ihre eigentliche Manifestation in der Bilderrollenmalerei der Kamakura-Periode, auf die wir nun zu sprechen kommen, gefunden hat. Das ist vor allem auf die Kunstform, bekannt als *e-makimono* oder »Bilderrollen«, zurückzuführen. Dies sind lange Handrollen, zwischen 22 cm und 52 cm hoch und bis zu 25 m lang. Sie werden von rechts nach links aufgerollt und in einzelnen Abschnitten betrachtet, die einer bequemen Armspanne entsprechen. Obwohl in vieler Hinsicht einmalig, sind sie von chinesischen Beispielen doch nicht völlig unabhängig. Die Rollenform als solche ist chinesischen Ursprungs; aber dort wurde sie hauptsächlich für Landschaftsmalerei benutzt, wo dann lange Reisen durch gebirgige Landschaften geschildert wurden. Die Chinesen scheinen verhältnismäßig wenig Interesse an Genre-Szenen gehabt zu haben, wovon die Japaner jedoch sich immer angezogen fühlten. Auch das typisch japanische Kolorit der Rollen mit den glatten, von Blau, Grün und Gold beherrschten Farbflächen, mit denen eine eigentümliche sanfte japanische Landschaft ausgedrückt wird, stammt letztlich aus dem China der T'ang-Zeit. Die Art und Weise aber, wie die Japaner von diesen Voraussetzungen aus ihre *e-makimono* gestalteten, machte diese zu einer einmaligen Kunst von der größten Bedeutung. Die Bilderrollen liefern so einen äußerst getreuen Spiegel vom Leben und Treiben der Japaner in diesen Jahrhunderten. Die frühen japanischen *e-makimono*-

Bilderrollen

[1] Paine and Soper, a. a. O. S. 64

Maler benutzten eine Anzahl verschiedener Techniken. Für einige Bilderrollen ist nur schwarze Tusche auf Papier benutzt worden, FIG. 44 manche sind mehrfarbig, und außerdem gibt es noch solche, bei ABB. 27, 29 denen beide Techniken kombiniert sind. Zuweilen und auf dem Höhepunkt des Stils stellen die Bilderrollen eine fortlaufende Geschichte dar; bei anderen sind sie durch die Einfügung von Textpassagen, die zu den einzelnen Darstellungen gehören, unterteilt.

Besonders interessant sind viele dieser Rollen durch die Art und Weise, mit der in ununterbrochener Abfolge die Geschichten erzählt sind, durch den klugen Gebrauch veränderlicher Perspektiven und dadurch, wie der Betrachter von einer Szene zur anderen geführt wird. So erreicht man eine mühelos fortlaufende Handlung. In vielen Rollen haben die Maler geschickt das Tempo gewechselt, um es der Stimmung der Malerei oder der geschilderten Geschichte anzupassen. Innerhalb der allgemein üblichen Rollenform entwickelten die Künstler eine bemerkenswerte Freiheit; ein unerhebliches Detail wurde in die Komposition aufgenommen oder weggelassen, wobei sie die am engsten zur Geschichte gehörenden Aspekte betonten. Sie konnten die Szene von jedem Blickwinkel zeigen; oft entfernten sie dabei die Dächer, wenn die Vorgänge im Innern eines Hauses dargestellt werden sollten. Hintergründe konnten nach Belieben verändert werden, doch das wichtigste der Handlung wird immer beibehalten. Kein Zwang zur festgelegten Perspektive störte sie, immer schreitet die Geschichte mit Eile und Stetigkeit vorwärts. Immer tragen die Künstler dem Ablauf der Geschichte – der Illusion und dem Dramatischen – geschickt Rechnung, häufig durch sorgfältig plazierte Wolkenflächen oder Baumgruppen, die den Übergang in Zeit und Ort bewirken.

Wie oben erwähnt, liegt in der Grundform dieses Rollentypus nichts ausgesprochen Original-Japanisches. Frühe chinesische Beispiele mit buddhistischen Darstellungen wurden bereits aus der Zeit um etwa 500 n. Chr. in Tun-huang gefunden, und der japanische Tamamushi-Schrein (siehe Kapitel II, Abbildung 7) ist ein weiteres frühes ABB. 7 Beispiel einer fortlaufenden Darstellung, wenn auch mehr in vertikaler, statt in horizontaler Form. Interessant werden die Bilderrollen durch den von den Japanern entwickelten hohen Rang. Sie offenbaren die japanische Vorliebe für das Dramatische, und ihre durchgängige Emotion ist in der fernöstlichen Kunst ohne Beispiel. Die Handlung kann humorvoll oder tragisch sein, weltlich oder religiös, sinnlich oder geistig, doch ist sie stets in ihrem Kern menschlich. Die Japaner befassen sich häufiger als die Chinesen mit dem Menschen und seinen Problemen, seiner Geringfügigkeit, seinen Siegen, mit dem ganzen Umfang seiner Gefühle. Die Chinesen zeigen mehr Interesse an großen transzendentalen Themen wie etwa überwältigenden Landschaften. Der Mensch ist fast immer untergeordnet, und selbst der Weise, den wir in der Kontemplation in der Einsamkeit abgelegener Natur sehen, ist ein Wesen, dessen Empfindungen unserem Verständnis fern sind. Das den Japanern von Natur aus eigene Interesse ist mit menschlichen Zuständen und Schicksalen verbunden. So erscheint vieles der japanischen Kunst in einer Tonart, die ein mit diesen Dingen nicht vertrauter Europäer unmittelbar zu verstehen meint. Die Szenerie mag fremd sein, aber die Emotionen sind universal. Vor allem zeigen die *e-makimono,* wie die Japaner die Grundidee von den Chinesen übernehmen und sie dann zu einer völlig neuen Kunstform umzuarbeiten vermögen. Wir werden ein weiteres geniales Beispiel für diese Fähigkeit in den Farbholzschnitten der Tokugawa-Periode beobachten (ich komme noch darauf zurück).

Shigisan-engi Eine der typischsten Rollen ist das Shigisan-engi oder die »Chronik des Berges Shigi-san«, das die Geschichte verschiedener Vorfälle im Leben des berühmten Priesters Myōren erzählt. Eine Rolle stellt die »Geschichte vom fliegenden Reisspeicher« dar. Myōren pflegte sich auf die Almosen eines reichen Mannes zu verlassen, indem er seine Almosenschale hin zum Haus seines Gönners fliegen ließ, der sie füllte. Eines Tages beachtete der Mann sie nicht, und um ihn zu strafen, veranlaßte Myōren die Schale, sich unter das Vorratshaus des reichen Mannes zu schieben und dieses mit allen Reissäcken darin zu der Bergeinsiedelei des Priesters davonzutragen. Ein oft abgebildeter Ausschnitt zeigt die Bestürzung der Hausgemeinschaft, als sie das Vorratshaus durch die Luft verschwinden

ABB. 28 sah. Der auf Abbildung 28 abgebildete Ausschnitt ist weniger bekannt. Der reiche Mann war seinem Speicher nachgeritten, um den

Fig. 44 – Chōjū-giga (»Tierskizzen-Rollen«), Detail. Tusche auf Papier. Zugeschrieben Toba Sōjō (1052–1140), wahrscheinlich aber spätes 12.Jahrhundert. Höhe 30,5 cm. Kōzan-ji-Tempel, Kyōto. Vgl. Seite 123, 126

Priester anzuflehen, ihn zurückzugeben. Dieser behielt das Vorratshaus für seine Zwecke, ließ aber die Getreidesäcke zurückkehren. Hier unter den Frauen des Haushaltes – alle Männer sind fort auf dem Berg – sehen wir die Überraschung und Freude, als die Säcke zurückgeflogen kamen. Die Bestürzung über ihr Verschwinden ist vorbei, wie auch die Angst vor der Not. Alle Gefühle, das Dramatische, die Spannung und das Humorvolle des Ereignisses, sind sehr gut veranschaulicht. Andere Rollen aus der Serie des Shigisan-engi berichten die Geschichten von der Gründung verschiedener Schulen und Tempel. Es ist bedauerlich, daß die Wiedergabe in Büchern es unmöglich macht, die Kontinuität des Handlungsablaufes der langen Rollen beizubehalten.

Fig. 45 – Die Mongoleninvasion. Detail aus der gemalten Handrolle, die das historische Ereignis schildert. Tusche auf Papier. Meister unbekannt. Kaiserliche Sammlung, Tōkyō. Vgl. Seite 127

Chōjū-giga Die Tierskizzen-Rollen (Chōjū-giga), von denen ein kleiner Teil hier wiedergegeben ist, gehören zu einem anderen überraschenden Typus. Sie werden einem gewissen Priester namens Sōjō zugeschrieben, wenngleich es unwahrscheinlich ist, daß er der Autor war. Das Seltsame und Unerklärliche dieser Rollen ist, daß sie zuweilen durchaus antibuddhistisch erscheinen. Andere wieder sind nichts als amüsante Tierszenen; doch der abgebildete Ausschnitt zeigt

FIG. 44 einen als Buddha verkleideten Frosch und einen Priester in Gestalt eines Affen, der ihn anbetet. Sie sind nur schwarze Tusche auf

Papier, und die Zeichnung ist reizvoll und sorgfältig. Waren diese scheinbar gegen den Buddhismus gerichteten Szenen die Arbeit eines Priester-Malers mit einem ausgeprägten Sinn für Humor, der die Haltung der weniger würdigen Priester seiner Zeit verspottete? In einem heroischen Zeitalter wie dem der Kamakura-Periode erwartet man vom Künstler ein Auge für die zeitgenössische Szene, um einige der erregendsten Augenblicke der Zeit festzuhalten. Abb. ABB. 29 29 ist eine Szene aus dem Heiji-monogatari, einer äußerst erregenden Geschichte aus der hohen und unbarmherzigen Politik im Heiji-Krieg, die vom Kampf zwischen zwei Hofadligen um die Vorherrschaft berichtet. Die hier abgebildete Szene ist nicht der berühmte Brand des Sanjō-Palastes, der sich im Museum of Fine Arts in Boston befindet, mit seiner wunderbaren Darstellung von Feuer und Panik, sondern ein etwas ruhigerer, wenn auch nicht weniger dramatischer Augenblick, in dem Nijō-tennō, der siebzehnjährige Kaiser, als Hofdame verkleidet aus dem Palast flieht und bei Taira no Kiyomori Zuflucht sucht. Dies war der Anfang im Kampf der Minamoto gegen die Taira, der zur Gründung des Shōgunats in Kamakura führte. Die Taira waren unter der Führung des hervorragenden Kiyomori in diesem Kampf anfangs erfolgreich, aber später gewannen die Minamoto die Oberhand. Der Zweck der Flucht des jungen Kaisers war, sich frei zu machen von der Kontrolle des Exkaisers Go-Shirakawa, der – obwohl er offiziell abgedankt hatte – noch immer die eigentliche Macht besaß.

Die Fig. 45 zeigt einen Augenblick des nationalen Heldentums aus FIG. 45 der Geschichte der Mongolen-Invasion. Um den Hintergrund dieses sehr frühen Beispiels einer Kriegsberichterstattung in Bildform durch einen Augenzeugen zu verstehen, muß man auf das hervorstechendste Ereignis der Kamakura-Periode eingehen. 1263 machte sich Kublai Khan, Khan der Mongolen, zum Kaiser von China und *Kublai Khan* gründete die Yüan-Dynastie. 1268, nachdem seine Stellung in China gesichert war, versuchte er, überzeugt von der unbesiegbaren Stärke seiner Armeen, sich zum erstenmal Japan zu nähern und schlug diesem vor, Beziehungen aufzunehmen. Das war gleichbedeutend mit einem Befehl an die Japaner, sich zu unterwerfen, wenn sie nicht schreckliche Strafen erleiden wollten. Die Kamakura-Krieger, obwohl sie sich der Bedeutung ihrer Schritte voll bewußt waren, weigerten sich jedoch nachzugeben. Das war gleichbedeutend mit einer Kriegserklärung. Die Mongolen brachten ein Jahr damit zu, eine Flotte von etwa 450 Schiffen auszurüsten und eine Armee von 15000 Mann mongolischer Truppen und einer gleichen Zahl koreanischer Hilfstruppen aufzustellen. Sie landeten an der Westküste der südlichen Insel, wo ihnen die lokalen Fürsten und ihre Gefolgsleute mit Entschlossenheit und Mut begegneten. Nach einem Tag heftigen Kampfes stand es unentschieden, und die Mongolen kehrten auf ihre Schiffe zurück. In der Nacht jedoch zerstreute und zerstörte ein schwerer Sturm ihre Schiffe. Die Verluste sollen 13000 Mann betragen haben und bedeuteten für die Mongolen einen ungewöhnlichen Prestigeverlust.

Bis 1280 hatte Kublai Khan eine neue Streitmacht von nicht weniger als 150000 Mann für einen neuen Angriff auf die widerspenstigen Japaner aufgestellt. Die Invasion von 1281 dauerte 50 Tage und brachte schwere Kämpfe, bis wieder ein Sturm die Eindringlinge von der japanischen Küste vertrieb. Diesmal verloren sie vier Fünftel ihrer Streitkräfte, und obwohl die Gefahr einer Invasion noch weitere zwanzig Jahre drohte, wurden die Japaner in Frieden gelassen; sie waren das einzige Volk, das den Mongolen auf der Höhe ihrer Macht erfolgreich widerstanden hatte. In der Rolle, die einer der Kämpfer gemalt hat, um Belohnung für seine Dienste zu

ABB. 28 – Shigisan-engi-emaki. Detail aus einer der drei gemalten Handrollen, die die Geschichte des Chōgosonshi-ji-Tempels beschreiben. Tusche und Farbe auf Papier. Meister unbekannt, 2. Hälfte 12. Jahrhundert. *Höhe der Rolle 31,8 cm, Länge des Ausschnitts 72,4 cm. Vgl. Seite 124*

ABB. 29 – Heiji-monogatari-emaki. Detail aus einer der drei gemalten Handrollen, die den Aufstand in der Heiji-Ära (1159) beschreiben. Tusche und Farbe auf Papier. Meister unbekannt. Mitte 13. Jahrhundert. *Höhe der Rolle 42 cm. National-Museum, Tōkyō. Vgl. Seite 123, 127*

ABB. 30 – Kanzan. Tusche auf Papier. Werk des Kaō, 14. Jahrhundert. *97,9 × 34,3 cm. Nagao-Museum, Kanagawa. Vgl. Seite 145*

ABB. 31 – Einsiedelei an einem Bergbach, Detail. Tusche auf Papier. Zugeschrieben Minchō (Chōdensu) (1352–1431). *Gesamtgröße 100,7 × 33,6 cm. Konchi-in-Tempel, Kyōto. Vgl. Seite 144*

28

29

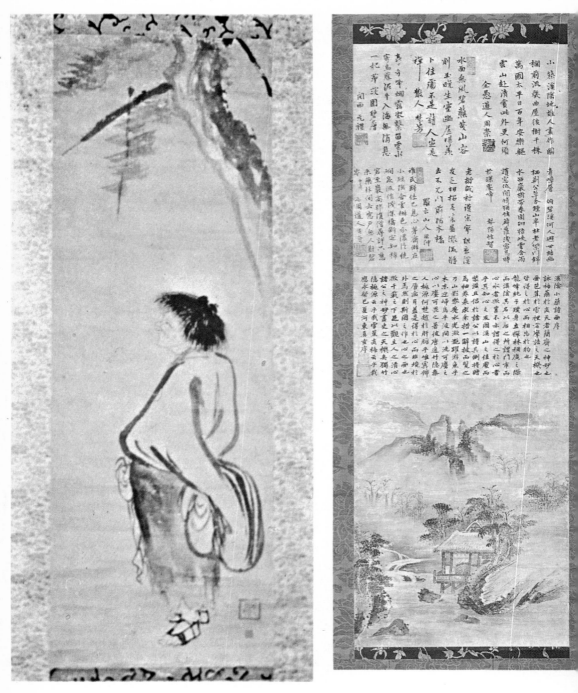

34

fordern, sehen wir einen leicht bewaffneten japanischen Reiter-
soldat auf einem feurigen Schlachtroß.

Durch eine andere Gruppe von Rollen wird eine weitere Seite des
japanischen künstlerischen Charakters deutlich. Sie beschreiben
verschiedenen Krankheiten, von denen der Mensch befallen wird,
die verschiedene Höllen, in die seine Seele geworfen werden
kann, wenn er ein schlimmes Leben geführt hat, und die Hungergeister, die ihn dort quälen. Abb. 32 zeigt eine Szene aus der
letzten Gruppe, den Gaki-zōshi, den Höllen-Rollen. Sie schildert
die Mörser-Hölle, in der diejenigen das Schicksal ereilt, die ihre
Mitmenschen bestehlen. Höllenbilder wurden in Indien und in
China gefunden und waren in Japan seit dem 8. Jahrhundert verbreitet. Die festgefügte Fujiwara-Gesellschaft war ganz dem eleganten Leben des Genusses hingegeben und wandte nur wenig Gedanken an die Hölle. Aber die Clans-Kämpfe und der Sturz hervorragender Männer, wie der Taira, veranlaßten das Volk über die
Flüchtigkeit des Lebens nachzudenken.

Die buddhistische Kosmologie lehrt, daß es sechs Welten mit ver-
schiedenen sie bevölkernden Wesen gebe – die Höllen, die Welt der
Hungergeister, der Tiere, der bösen Geister, der Menschen und der
Halbgötter. Diesen stehen die verschiedenen Paradieseswelten, das
Reine Land, das die einzige Zuflucht war, gegenüber.

Während der Kamakura-Periode nahm die lange Entwicklungsge-
schichte der japanischen Keramik ihren Anfang, bis sie schließlich
zu einer vollendeten und charakteristischen Kunst geworden war.
Auch hier waren die Keramiken Chinas, die die Japaner immer
ebenso begeistert hatten wie die übrige Welt, das Vorbild. Während

ABB. 32 – Jigoku-sōshi (Höllenrolle), Detail. Tusche und Farbe auf Papier. Meister unbekannt,
um 1180. *Sammlung Hara, Japan. Vgl. oben*

ABB. 33 – Wels und Flaschenkürbis. Tusche und leichte Farben auf Papier. Werk des Josetsu,
tätig um 1405–1430. *Höhe 83,2 cm. Taizō-in-Tempel, Kyōto. Vgl. Seite 146*

ABB. 34 – Pavillon der Drei Weisen. Tusche und leichte Farben auf Papier. Werk des Shūbun,
1418. Seikadō-Stiftung, Tōkyō. *Vgl. Seite 147*

der Sung-Periode entwickelten die Chinesen das keramische Handwerk zu außerordentlicher künstlerischer Perfektion, die niemals übertroffen wurde. Die Seladon-Waren von Lung-Ch'üan in der Provinz Chekiang und die *chien*-Waren von Fukien, die Keramiken mit den dunklen schwarzen und braunen Glasuren, die in Japan als *temmoku* bekannt waren, wurden in großen Mengen hergestellt und in viele Länder bis in den Mittleren Osten exportiert. Aber diese schönen Keramiken hatten eine mehr als tausendjährige Geschichte hinter sich, und die Japaner konnten technisch kaum mit ihnen konkurrieren. Darüber hinaus waren die Rohstoffe in den bekannten Fundstellen in Japan minderwertiger als die in China.

Die Japaner behaupten, daß ihre Keramik während der Kamakura-Periode von einem gewissen Tōshirō, bekannt als der Vater der japanischen Keramik, begründet wurde – eine Überlieferung, die von einigen Gelehrten mit Skepsis betrachtet wird. Doch hinsichtlich des Zeitpunktes ist diese Überlieferung richtig. Es wird berichtet, daß Tōshirō als buddhistischer Priester nach China ging und dort das keramische Handwerk studierte. Um 1227–1229 kehrte er nach Japan zurück, um im Gebiet von Seto ein Fabrikationszentrum zu errichten. Es sind etwa zweihundert Brennöfen rings um Seto, die aus der Kamakura- und der folgenden Muromachi-Periode stammen, aufgefunden worden. Hier stellten die Japaner im 13. Jahrhundert ihre ersten scharfgebrannten Waren oder glasierten »Steinwaren« her. Noch heute ist Seto das Gebiet mit der größten Keramikproduktion in Japan, und die Bezeichnung *seto-mono* oder »Seto-Gegenstand« wird häufig ganz allgemein für Keramik gebraucht.

Es gab »Sechs alte Öfen Japans« – Seto, Tokoname, Shigaraki, Tamba, Bizen und Echizen. Die fünf letzten produzierten die etwas grobkörnige Ware, die die Japaner heute für ihre Teezeremonie besonders hoch schätzen, worauf wir noch zu sprechen kommen werden. Die Seto-Waren jedoch haben eine gewisse Gleichförmigkeit mit ihren kräftigen, kühnen Formen, den gelbbraunen und schwar-

Fig. 46–51 – Beispiele alter Seto-Ware mit braunen oder gelben Glasuren. Vgl. Seite 135

zen Glasuren und den eingeritzten oder aufgestempelten Mustern (siehe Fig. 46–51). Die neue Geschicklichkeit und Mannigfaltigkeit im Glasieren war auf die Einführung von oxydierenden Öfen statt der reduzierenden zurückzuführen. Viele der Stücke haben einen schönen Frei-Hand-Dekor und gelegentlich ein reizvolles Craquelé in der Glasur. Manchmal bilden die Glasuren ein schönes Streifenmuster. Jedoch erreichten die Japaner die Kunstfertigkeit der Chinesen nicht, und mit wenigen Ausnahmen ist das Interesse an diesen frühen Stücken eher ein historisches als ein künstlerisches.

Die Metallarbeiten dieser Periode setzten im allgemeinen die Stile der Heian-Periode fort, doch mit einer Tendenz zu einfachen Formen und weniger reichem Dekor als vorher. Besonders große Aufmerksamkeit verwandte man auf Schwert und Rüstung, sowohl in bezug auf ihre praktische Verwendung als auch auf ihren Dekor. Einige der schönsten Schwertklingen, die jemals gemacht wurden, stammen aus diesem Jahrhundert. Diese Kunst liegt leider außerhalb der Kompetenz der meisten westlichen Historiker. Die eisernen Kessel und andere buddhistische Geräte erhielten allmählich die klassischen Formen, die vom China der Sung-Zeit beeinflußt worden waren. Mit Fig. 52 ist ein bemerkenswertes Stück Metallarbeit abgebildet; es erinnert in seiner komplizierten Eleganz an frühere Kunstfertigkeit. Es ist ein Korb, der in buddhistischen Zeremonien für Streublumen benutzt wurde. Solche Körbe wurden für gewöhnlich aus Bambus gemacht, doch dieses Exemplar aus vergoldeter Bronze ist ein Meisterwerk der Metallarbeit. Das Muster der durchbrochen gearbeiteten Blumen ist durch feine Ziselierungen verziert und noch durch Gold- und Silberplattierung akzentuiert. Es erinnert an die Eleganz der Metallarbeit am Tamamushi-Schrein (siehe Kapitel II, Abb. 7, Fig. 23) wie auch an die lange Reihe hervorragender Gegenstände, die in derselben durchbrochenen Arbeit von japanischen Handwerkern durch die Jahrhunderte hindurch hervorgebracht wurden.

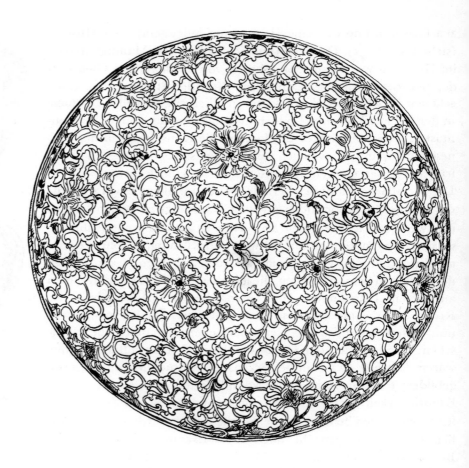

Fig. 52 – Kekò (Blumenkorb). Bronze, gold-, silberplattiert. Durchmesser 28,8 cm. Jinshō-ji-Tempel, Shiga. Vgl. Seite 135

VII. DIE ASHIKAGA- ODER MUROMACHI-PERIODE
1338-1573

Die politischen Zustände in der Zeit von 1272 bis 1380 waren sehr verworren und führten schließlich zu bürgerkriegsähnlichen Zuständen. Die Hauptursache der Schwäche war der Machtverfall der führenden Männer von Kamakura. Die zielbewußte Disziplin Yoritomos gehörte der Vergangenheit an, und die Hōjō-Regenten waren Männer von geringerem Format. Die Mongoleninvasion hatte die Kamakura-Herrscher geschwächt; sie erwiesen sich als unfähig, die aufrührerischen Elemente sowohl in den Provinzen als auch in der Hauptstadt unter ihre Kontrolle zu bringen. Sie verloren völlig die Initiative in der Führung der Staatsgeschäfte und zeigten sich in der Gestaltung ihres eigenen Geschicks unentschlossen. Die Folge davon war, daß sich Bestrebungen bemerkbar machten, die Diktatoren auszuschalten und die Macht des Thrones wiederherzustellen, wie es immer in unruhigen Zeiten, wenn auch meist erfolglos, versucht wurde.

Machtverfall

1318 bestieg in Kyōto Kaiser Go-Daigo den Thron, damals ein Mann von 30 Jahren, entschlossen, der Klosterherrschaft ein Ende zu setzen, und nicht nur dem Namen nach Kaiser zu sein. Er erhielt in zunehmendem Maße Unterstützung im ganzen Land, teils durch seine eigenen Verdienste, teils mit Hilfe des habgierigen Provinzadels, der mit Neid auf den von den Hōjō-Regenten angesammelten Landbesitz sah. Die Militärmachthaber von Kamakura konnten nur mit Mühe die zahlreichen Aufstände überall im Land niederhalten, und als 1333 der Kaiser, offensichtlich von anderen unterstützt, seinem Exil entfloh, war der Zeitpunkt für eine radikale Neuerung gekommen.

Als Werkzeug dieses Umschwungs diente Ashikaga Taka'uji, einer der fähigsten und verläßlichsten Kamakura-Generäle, der ausgeschickt worden war, den zurückkehrenden Kaiser Go-Daigo gefangenzunehmen. Statt die Befehle des Shōguns zu befolgen, trat er auf die kaiserliche Seite über, wandte sich gegen die Kamakura-Feste in Kyōto, eroberte sie und verhalf dem Kaiser wieder auf den Thron. Kamakura selbst fiel im Juli 1333 und alle Außenposten der Shōgunats-Regenten im Kyūshū und in anderen Gegenden im gleichen Jahr. Die Schnelligkeit, mit der dies geschah, zeigte die innere Schwäche der Regenten und die Dringlichkeit einer Änderung.

Leider sollte der soeben wieder eingesetzte Kaiser, obwohl sich die Unzufriedenen bereitwillig um ihn sammelten, sich aus verschiedenen Gründen als Verwalter und Mittelpunkt der Loyalität als unzulänglich erweisen. Er brach Versprechen, die er seinen Anhängern in schwerer Zeit gemacht hatte, und war unfähig, die Beute aus dem Untergang der Hōjō gerecht zu verteilen. Häufig kamen Bestechungen vor, und die angesehenen, aber ungebildeten Krieger aus den Provinzen waren gegenüber höfischen Schmeichlern nicht immer erfolgreich. Auch der Adel selbst wurde allmählich unzufrieden mit Go-Daigo, während der Klerus die übrigen an Habgier noch übertraf und die bäuerliche Bevölkerung äußerst hart behandelte. In der Tat scheint der wieder eingesetzte Kaiser niemandem zugesagt zu haben, und schon stand Anarchie drohend bevor. Es war dem Kaiser nicht gelungen, die militärische Entwicklung in den Provinzen unter Kontrolle zu halten; und in solchen unruhigen Zeiten war es verständlich, daß viele sich zurücksehnten nach den Tagen der starken Kamakura-Regentschaft, denn damals hatten sie doch wenigstens das Gefühl gehabt, gerecht regiert zu werden. Angesichts der Krise zeigte das Land eine wachsende Ungeduld mit dem entleerten Hofzeremoniell und seinen Trivialitäten, die die Energien der Männer, die besser auf die Verwaltung und Wiederherstellung des Reiches verwandt worden wären, in Anspruch nahmen. In dieser *Ashikaga Taka'uji* Situation war es an Taka'uji, die Macht zu übernehmen. Er tötete seinen Hauptwidersacher, den Sohn des Kaisers, und als der Kaiser selbst zu handeln veranlaßt wurde, griff er ihn an, besiegte ihn und gelangte an die Macht. Um das Ende des Jahres 1336 war er Herr über die alte Hauptstadt und offensichtlich ganz Japan, während sich der Kaiser wieder einmal – wie so häufig vorher und später – einem General hatte unterordnen müssen. Taka'uji hielt sich wahrscheinlich für den rechtmäßigen Nachfolger in der Führerschaft der feudalen Gesellschaftsordnung.

Doch löste Taka'ujis zeitweiliger Erfolg keineswegs die Probleme, denen sich Japan gegenübersah, und der Einfluß des Throns wurde nicht restlos beseitigt. Nicht weniger als 56 Jahre dauerte der Kampf zwischen dem Marionetten-Kaiser Kōmyō von der älteren kaiserlichen Linie, den Taka'uji in Kyōto auf den Thron gehoben hatte, und dem Kaiser Go-Daigo und seinen Nachfolgern, die geflohen waren und ihren Sitz in Yoshino, einer Bergfeste im Süden, aufgeschlagen hatten. Diese lange Bürgerkriegs-Periode ist als Namboku-chō (»Süd-Nord-Dynastien«) bekannt; sie brachte zahlreiche hervorragende Männer hervor und hatte viele heroische Augenblicke. Die Loyalisten im Süden erwiesen sich als außerordentlich hartnäckig und waren schwer auszurotten. Taka'ujis Position war keineswegs gesichert, und er hatte beträchtliche Opposition von seiten seiner eigenen Anhänger, die mit keiner der kaiserlichen Linien irgendeine Verbindung aufrechterhalten wollten. In den fortwährenden Kämpfen wechselte Kyōto mehrmals den Besitzer. Im Alter von 54 Jahren starb Taka'uji 1358; 26 seiner Lebensjahre hatte er fast ununterbrochen auf Feldzügen verbracht. Auf ihn folgte sein Sohn Yoshiakira und 1368 dann der neunjährige Yoshimitsu. Erst 1383 wurden nach wütenden Kämpfen die Festungen der südlichen Dynastie in Kyūshū endgültig unterworfen. Um 1392 hatten sich die Ashikaga sowohl gegenüber der südlichen Dynastie als auch gegenüber den Widerspenstigen unter ihren eigenen Kriegern durchgesetzt. In dieser allgemeinen Erschöpfung wurde mühsam die Einigung zwischen den beiden kaiserlichen Linien herbeigeführt, und nachdem der südliche Kaiser immer mehr in den Schatten gestellt wurde, errang die nördliche Dynastie die Vorherrschaft.

Bürgerkriege

Im Verlaufe des Bürgerkrieges wurden die mächtigen und kriegerischen Landadligen immer einflußreicher; daraus entwickelte sich eine mehr kriegerische als feudale Gesellschaft. Der Kyōto-Adel verlor alle Autorität, die er einst besessen hatte; in den Kriegen errangen neue Männer aus den Provinzen einen Namen, der bis in die jüngste Zeit erhalten blieb. Außerdem hatte die Abwesenheit so vieler Führer der Provinzialgesellschaft, die sich auf langen Feldzügen befanden, den fähigeren Mitgliedern der bäuerlichen Gemeinschaft die Gelegenheit gegeben, mehr Unabhängigkeit für sich

*Zunehmender Einfluß
der Landadligen*

Fig. 53 – Kinkaku-ji, Kyōto. Vgl. unten

durchzusetzen, als sie bis dahin genossen hatten. Wie Sansom betont, ist eine der bemerkenswertesten Tatsachen der japanischen Kulturgeschichte, daß während dieser rund hundert Jahre dauernden Periode fast ununterbrochener Kämpfe die Aristokratie das traditionelle japanische Interesse an Kunst und Wissenschaft beizubehalten vermochte. Während die Ashikaga-Shōgune den Kaiser zur Bedeutungslosigkeit verurteilten, war es für sie ganz selbstverständlich, als Beschützer der Künste aufzutreten. Yoshimitsu vor allem war in seiner Bautätigkeit verschwenderisch und ein großer Verehrer des Theaters. Er baute seinen Palast im Muromachi-Viertel in Kyōto, nach dem auch die Periode häufig als »Muromachi«-Periode bezeichnet wird. Der anmutige Kinkaku-ji (»Gol-

Bautätigkeit

dener Pavillon«), den er für die Zeit nach seinem Rücktritt errichtete, ist eines der berühmtesten Gebäude Kyōtos und Japans. Eher ein Sommerpalast als ein Tempel, erhebt er sich leicht, fast ätherisch in seiner Anmut, über einem See. Die Steuern jedoch, die Yoshimitsu für ein ausgedehntes Wiederaufbauprogramm erhob, waren für das verarmte Volk eine schwere Bürde, und sowohl er als auch seine Vasallen waren genötigt, sich dem China-Handel zuzuwenden, um ihre Schatzkammern wieder aufzufüllen. Der lange Bürgerkrieg hatte die Ashikaga erschöpft; für die Konsolidierung ihrer Macht blieb ihnen wenig Kraft. Tatsächlich hielten sie sich nur an der Macht, weil kein anderer Führer da war, der stark genug gewesen wäre, die Oberherrschaft an sich zu reißen.

Dennoch sehnte das Reich nach dem langen Bürgerkrieg die Segnungen des Friedens herbei, selbst wenn diese ziemlich teuer bezahlt werden mußten. Zen-Priester fanden in die höchsten Kreise Eingang und gewannen ziemlichen Einfluß. Wir sahen, wie die Zen-Schule sich während der Kamakura-Periode in Japan durchsetzte. Das chinesische Wort für Zen ist Ch'an, eine Transliteration des Sanskritwortes *dhyâna*, was etwa mit »Meditation« übersetzt werden kann. Der indische Missionar Bodhidarma, der die Schule 520 n. Chr. selbst nach China einführte, faßte die Lehre so zusammen: »Eine besondere Überlieferung außerhalb der Schriften. Keine Abhängigkeit vom Wort und von den Schriften. Unmittelbar auf das Herz (oder den erkennenden Geist) des Menschen zielend. Einsicht in die eigene Natur und Erlangung der Buddhaschaft.« Die notwendige Erkenntnis komme dem Menschen durch Innenschau und plötzliche Erleuchtung. Alles übrige Drum und Dran der Religion sei nutzlos. In früheren Zeiten forderte die Schule strenge Disziplin und Mäßigkeit, und die Ideale der frühen Kamakura-Periode waren davon beeinflußt worden. Die Zen-Priester wurden zu den eigentlichen Führern in Wissenschaft und Kultur, und da sie überdies mit den Vorgängen in China nach der Errichtung der Ming-Dynastie im Jahre 1368 vertraut waren, stellten sie die Ratgeber für die auswärtige Politik. Die Kontakte mit dem Festland wurden nun rasch zahlreicher; verständlicherweise waren die Priester eifrig bestrebt, die Verbindung mit ihren Brüdern in China wieder aufzunehmen,

und die Japaner im allgemeinen bemühten sich um einen gewinn-
reichen Handel, ob dieser nun auf legalem Wege oder über Piraten
abgewickelt wurde. Die Chinesen waren ebenfalls über den Handel
mit den Japanern erfreut, wenn sie natürlich auch gern die Gesandtschaften, als welche die Händler sich ausgaben, als die herkömm-
lichen »Tributpflichtigen« behandelten. Die Japaner tauschten
Schwerter, Pferde, Papier, Lack und Bronze gegen chinesische
Seide, Bücher, Drogen, Porzellan und Kunstwerke aller Art, vor
allem Bilder. Diese Beziehungen waren jedoch zahlreichen Wechsel-
fällen unterworfen, und oft lag der Handel in den Händen der
Piraten, die sich als eine Plage der chinesischen Küstengebiete erwiesen. Nichtsdestoweniger besteht kein Zweifel, daß die Qualität
und die geschmackvolle Ausführung vieler japanischer Erzeugnisse
sie in China sehr begehrt machten. Ein Ergebnis dieses blühenden
Handels war das Entstehen einer starken Kaufmannsklasse, die sich
für die spätere Entwicklung Japans als äußerst wichtig erweisen
sollte. In den Provinzen bildete sich eine neue Klasse von Söldnern,
die *rōnin* (wörtlich: »Wogen-Männer«, d. i. »die Umherschweifen-
den«), *samurai,* die ihren Unterhalt mit dem Schwert verdienten.
Wundergeschichten von den Heldentaten dieser Männer wurden
sehr beliebt und lieferten Stoff für Literatur und Kunst.

In dieser Atmosphäre politischen Verfalls blühten die Künste.
Bestrebt, den Sitten und dem Luxus Kyōtos nachzueifern, lud
der Provinzadel Männer der Kunst und Wissenschaft, Priester wie
Laien, zu sich ein. In der Ashikaga-Periode – unter Lehrern wie
Musō – verloren die Vorschriften für die Lebensführung der Zen-
Mönche an Strenge, und die Priester entwickelten einen Geschmack
für Luxus und die Annehmlichkeiten eines üppigen Lebens, der
hinter scheinbarer Armut verborgen wurde. Wie viele Kritiker
betont haben, hat die Tatsache, daß die Zen-Anhänger vorgaben,
das geschriebene Wort als etwas, das sich zwischen sie und die Erleuchtung stellt, gering zu schätzen, sie nicht davon abgehalten,
Einfluß der Zen-Philosophie über dieses Thema dicke Bücher zu schreiben. Aber die Zen-Philo-
auf die Künste sophie hatte einen breiten und tiefen Einfluß auf die verschiedenen
Künste, besonders auf die Malerei. Zen-Maler sahen in der skizzen-
artigen Darstellung, in der ein Künstler mit Pinsel und Tusche seine

Vision mitzuteilen vermochte, eine Möglichkeit des Aufblitzens der Erleuchtung, das der gründlichen Meditation folgt. Ebenso lehrten sie, daß die Buddhaschaft oder Wahrheit selbst in den scheinbar trivialsten Dingen der Natur gesehen werden könnte: dem Zweig eines Baumes, einer fallenden Blüte, einem Sandkorn. Diese Suche nach dem Göttlichen, das in jedem Aspekt der Myriaden Phänomene der uns umgebenden Welt verborgen liegt, erweiterte den Gesichtskreis, vertiefte das Verständnis und schärfte die Empfindungsfähigkeit von Generationen von Künstlern. Hier leistete der Ferne Osten einen seiner größten Beiträge zur Kunst der Welt.

Die große Zeit der Skulptur scheint mit der Kamakura-Periode zu Ende gegangen zu sein. Es ist schwer zu verstehen, warum der Strom schöpferischer Begabung auf diesem Gebiet so rasch und plötzlich versiegte. Vielleicht folgten die Japaner in dieser Hinsicht den Chinesen; denn von der Ming-Dynastie (1368–1644) wurde kein wesentlicher Beitrag mehr zur Plastik Chinas geleistet. Die Ming-Skulptur zeigt im allgemeinen entweder eine Verflachung der zarten Sung-Linien, oder es sind schwere, recht plumpe Figuren im T'ang-Stil, denen alles Leben und Bewegung fehlt. Das große Zeitalter des Buddhismus war in China schnell vorüber, und keine neuen Impulse erweckten es wieder zum Leben. Der Ch'an-(Zen)-Buddhismus legte keinen Wert auf Götterstatuen; von dieser Zeit an scheinen sich die japanischen Schnitzer in zunehmendem Maße den Miniaturarbeiten zugewandt zu haben, was später eine Flut exquisiter Schmuckgegenstände zur Folge hatte, wie etwa die *netsuke-*Knöpfe in den verschiedensten Materialien und von unendlichem Einfallsreichtum. Die Tempel waren nicht mehr die großen Auftraggeber der Werkstätten wie in der Vergangenheit. Offensichtlich hatten die Territorialherren ihr Interesse an den Tempeln verloren, während die Kaufleute, die später die Rolle der Gönner übernehmen sollten, sich anderwärts nach künstlerischer Anerkennung ihres neuen Reichtums umsahen. Verständlicherweise waren dies persönliche und Haushaltsschmuckgegenstände. Wie die geistig Führenden sich mehr der Malerei zuwandten, so auch die Schichten der Reichen, die jene nachahmten.

Die Kunst dieser Periode konzentriert sich auf die Malerei. Sie stand

Miniaturarbeiten

Malerei

unter dem Einfluß der von China importierten Werke, besonders der monochromen Bilder aus der Sung- und der frühen Ming-Dynastie (10.–15. Jahrhundert). Die Ashikaga-Shōgune waren das Vorbild für diese erneute Vorliebe für chinesische Dinge, besonders der achte Shōgun Yoshimasa, dessen Katalog chinesischer Bilder von Sōami verfaßt wurde (siehe später). Der alte farbenprächtige japanische Stil verlor an Ansehen, wenn auch seine Hauptvertreter, die Tosa-Schule, weiterhin viele reizvolle, von dem alten Stil inspirierte erzählende Bilderrollen schufen. Im großen ganzen jedoch

Monochrome Tuschlandschaft

dominierte der neue Stil der monochromen Tuschlandschaft. »Die Einsiedelei an einem Bergbach« von Minchō (Chōdensu) (1352 bis

ABB. 31
Minchō

1431) ist ein typisches frühes Beispiel der engen Bindung der Japaner an die neuen chinesischen Vorstellungen. Minchō, wie viele der hervorragenden Maler seiner Zeit, verband künstlerischen Geschmack mit religiöser Ehrerbietung. Der Stil ist eine getreue Wiederholung in der Tradition der Sung-Landschaft, eine Verbindung von kräftigen Pinsellinien um einen Gegenstand, der sich gleichermaßen an den Intellekt wie an romantische Gefühle wendet. Eine Hütte über einer Wasserfläche, vom Nebel verhüllte Berge im Hintergrund, einige Felsen – dies ist die vollkommene Harmonie geistigen Friedens in einer romantischen Umgebung, die unsere Vorstellung vom fernöstlichen Leben beeinflußt hat. So träumt der chinesische Beamtengelehrte von der Flucht aus den Fesseln des alltäglichen Lebens in den Frieden der Landschaft. Dort vermag ein Mann von kontemplativem Charakter sich an der Erhabenheit der Natur und der in ihr verborgenen Ordnung zu erfreuen. Dies übt eine unwiderstehliche Anziehungskraft auf uns, die wir im 20. Jahrhundert leben, aus.

Alles an diesem Bild ist streng nach chinesischem Geschmack, aber selbst so früh bereits hat die sanftere, dunstige Landschaft Japans der Darstellungsweise der Künstler ihren Stempel aufgedrückt. Minchō war niemals in China, und seine Inspiration, so reizvoll sie ist, stammt aus zweiter Hand. Der Stil ist eine Mischung all dessen, was sich mit einer Betonung des Akademischen in der frühen Ming-Zeit entwickelte und aus China herüberkam. Wie auf chinesischen Werken schmücken viele Gedichte und Beischriften das Bild und betonen die Verknüpfung mit dem Literarischen und seine Einbeziehung. Will man die japanischen Eigenheiten herausfinden, so darf man sagen, daß das Bild wohl eine gelungene, bewußte Annäherung an die chinesische Technik darstellt; aber es ist schwierig, das im einzelnen anzugeben. Wie zu erwarten, ist die allgemeine Ausführung von einer Tendenz gekennzeichnet, die nicht unbedingt notwendigen Zonen zu vernachlässigen, um die Hauptelemente zu betonen. Man kann nicht sagen, daß dies eine Schwäche der Nachahmer sei; denn es handelt sich hier um eine Eigenheit japanischer Kunst, die einige ihrer originellsten Werke hervorgebracht hat.

Das imaginierte Porträt des Kanzan von Kaō veranschaulicht einige der damals herrschenden Strömungen. Kaō war sowohl Zen-Priester als auch Maler; aber abgesehen von dieser spärlichen Information wissen wir wenig von seinen Lebensumständen. Manche sagen, sein Werk umspanne die späte Kamakura- und die frühe Muromachi-Periode, was ihn zu einem der frühesten Tuschmaler machen würde. Thema des Bildes ist ein chinesischer Zen-Priester, einer von zwei schlichten Priestern, die in Japan als Kanzan und Jittoku aus der T'ang-Zeit (618–907 n.Chr.) bekannt sind. Es handelt sich vermutlich um apokryphe Gestalten, die – der um sie entstandenen Überlieferung zufolge – die verstandesmäßige und anmaßende Haltung der anderen Schulen ablegten. Sie waren mit der erreichten Erleuchtung zufrieden und fühlten sich, die Vorteile weltlicher Bequemlichkeit nicht achtend, frei. Die Darstellung dieser beiden Figuren war jahrhundertelang ein beliebtes Thema der chinesischen wie der japanischen Tuschmalerei. Sie sind auf ihre Weise ebenso real und ebenso didaktisch wie irgendein mehr formales Götterbild. Kaōs Werk zeichnet sich durch Sparsamkeit in der Pinselführung und durch kraftvolle Linien aus. Mit vorgestrecktem Bauch, in abgerissenen Gewändern, steht Kanzan bequem da, auf ein unsichtbares Schauspiel starrend, müßig und in froher Laune, losgelöst von der Welt. Der Teil eines Baumes, weich hingewischt, respondiert auf die Haltung der Figur; die Art der Auseinandersetzung mit dem Thema ist ebenso unbefangen wie die Pinselführung selbst. Das Bild und seine Botschaft sind ein Vorstoß gegen die Konvention und besitzen darüber hinaus Elemente jenes Humors,

ABB. 30
Kaō

der so viele Werke japanischer Kunst zu allen Zeiten durchdringt. Als ein Heiligenbild ist es sorgfältig darauf berechnet, in dem, der fromme Erleuchtung sucht, den äußersten Schock auszulösen. Solche Gemälde – wie so viele frühe Werke dieser Art – stehen ihren chinesischen Prototypen sehr nahe, und wären sie nicht signiert, müßte ein Historiker sehr mutig sein, sie zu unterscheiden.

ABB. 33
Josetsu

Das Tuschbild »Wels und Flaschenkürbis« vereinigt einige der Tendenzen der frühen Ashikaga-Periode. Es wurde von Josetsu gemalt, über den sehr wenig bekannt ist außer der Tatsache, daß er als der größte Lehrer seiner Zeit anerkannt war. Vermutlich war er ein Priester-Maler und gehörte der Zen-Schule an. Er arbeitete für das Ashikaga-Shōgunat. Über dem Tuschbild selbst befinden sich dreißig Inschriften von Zen-Priestern aus der Zeit von 1394–1427. Diese für westlichen Brauch so fremde Gewohnheit ist für fernöstliche Malerei charakteristisch. Manchmal stammen diese beigefügten Inschriften vom Künstler selbst und geben autobiographische Daten oder informieren über die Quelle der Inspiration; manchmal sind es Gedichte oder würdigende Zeilen von Freunden oder solche, zu denen das Bild zur Zeit seiner Entstehung angeregt hatte oder die später von Kennern hinzugesetzt wurden. Aus einer dieser Inschriften wird ersichtlich, daß der Ashikaga-Shōgun das Tuschbild für einen Wandschirm in Auftrag gab und daß er darum bat, die Arbeit in dem »neuen Stil« auszuführen. Daraus erkennen wir, daß die neuen Herrscher Japans, bald nachdem sie an die Macht gekommen, gern als Förderer der Kunst auftraten und daß sie von der Mode der chinesischen Stile gefesselt waren.

Die Kompositionselemente sind sehr einfach: ein Fluß mit einigen Felsen, ein Bambus und einige Schilfrohre im Vordergrund und kaum eine Andeutung von Laubwerk auf den dunstigen Hügeln im Hintergrund. Die Aufmerksamkeit wird völlig auf den zerlumpten Priester im Vordergrund konzentriert, der einen schlüpfrigen Wels in einem Flaschenkürbis zu fangen versucht. Das ist die Darstellung einer typischen Zen-»Unmöglichkeit«, von der behauptet wird, daß sie dem Schüler zur Erkenntnis verhelfen soll. Der andeutende Stil ist der Stil der Südlichen Sung-Periode; und wieder unterscheidet sich das Bild in nichts von einem chinesischen, außer daß kein chinesisches Bild mit ähnlichem Gegenstand erhalten ist. Die Japaner hatten sich offenbar geistig völlig mit der chinesischen Kultur identifiziert; aber im Gegensatz zu früherer Zeit empfinden sie jetzt ganz das gleiche. Nach den Jahrhunderten der Isolierung und innerer Unordnung dürften die neuen künstlerischen Entwicklungen in China wie eine Offenbarung auf sie gewirkt haben; aber die Japaner akzeptierten die Herausforderung dieser Kunst mit verblüffender Schnelligkeit und Gewandtheit.

Ein anderes ausgezeichnetes Beispiel für die außerordentlich schwierige Aufgabe, frühe Landschaften im chinesischen Stil von eigentlichen chinesischen Werken zu unterscheiden, ist »Der Pavillon der Drei Weisen« aus der Seikadō-Stiftung, Tōkyō. Wie eine Anzahl ähnlicher früher Landschaften wird es Shūbun zugeschrieben, der in der ersten Hälfte des 15. Jahrhunderts arbeitete. Er war ein Schüler von Josetsu und wahrscheinlich der Lehrer des größten aller Tuschmaler, Sesshū, auf den ich noch zurückkomme. Er scheint mit der Sammlung chinesischer Gemälde des Ashikaga-Shōguns vertraut gewesen zu sein, und viele dieser Werke – falls die japanischen Wiederholungen zuverlässig sind – dürften dem frühen Ming-Stil angehört haben, der von den chinesischen Meistern des Südlichen Sung-Hofes wie Ma Yüan und Hsia Kuei übernommen worden war. Die ideale Naturvorstellung, die hier wiedergegeben ist und die durch die Jahrhunderte mit fast monotoner Regelmäßigkeit wiederholt wird, wird von Paine erklärt als »die Verschmelzung buddhistischer und konfuzianischer Philosophie ... am deutlichsten in den Landschaftsgemälden. Eine Kunst, die diese Naturphilosophie in sich aufnahm, gab jedem ausgewählten Detail einen prästabilierten Gehalt. Die unzerstörbaren Bergketten sind den immer wechselnden Jahreszeiten ausgesetzt. Der Mensch ist als der nach natürlicher Reinheit Suchende dargestellt, als einer, der sie findet und sich damit anfüllt. Berg, Baum und Mensch besitzen ein genau festgesetztes Größenverhältnis. Die Atmosphäre wird dazu benutzt, um mit dahintreibendem Dunst und Nebelfeldern das Gefühl von Höhe und Weite zu suggerieren, so daß, was zunächst als naturalistisches Panorama erscheint, zu einem kosmischen Ausblick wird, den die Kraft des Lebens selbst durchpulst.

ABB. 34

Shūbun

Die auf diese Weise intellektuell begriffene Schönheit der Natur spiegelt das tiefe chinesische Natur-Denken mittels idealer Formen wider. Diese Tradition ist ein ebenso spezifischer Beitrag zur Geschichte der Kunst wie die idealen Proportionen, mit denen die Griechen den Körper des Menschen darstellten.«[1]

Wieder wäre es interessant, das »Japanische« in einem solchen Bild herauszufinden. Vielleicht ist es in seiner Qualität zu klar, vielleicht ist es ein wenig zu »richtig«, durchsetzt mit manieristischen Elementen, die sich hier ebenso einschleichen wie in die im Sung-Stil gemalten, überladenen Landschaften der Ming-Dynastie. Die Pinselführung jedoch ist unangreifbar. Tiefe und atmosphärische Effekte sind vollkommen ausgearbeitet; doch ein unbestimmbarer Mangel an Realität erzeugt eine traumartige Stimmung, die in Sung-Landschaften nicht so deutlich sichtbar ist.

Sesshū   Der größte Künstler dieser Periode war zweifellos ein Priester mit Namen Sesshū (1420–1506). Er ging in der Mitte der Ming-Zeit (1468–1469) nach China, wo er – wie es heißt – so erfolgreich war, daß ihm die oberste Leitung eines großen chinesischen Klosters angetragen wurde. Die chinesische akademische Malerei dieser Zeit war erschöpft, und es fehlte ihr an Inspiration; Sesshū mit seiner kraftvollen Pinselführung hatte in der Tat selbst den Chinesen etwas Neues zu bieten. Vor allem wußte er, wie chinesische Landschaft wirklich aussah, und deshalb hatte er es nicht nötig, aus den Werken anderer zu reproduzieren. Natürlich kannte Sesshū genau

[1] R. T. Paine and A. Soper, »The Art and Architecture of Japan«, London 1955, S. 82

ABB. 35 – Winterlandschaft. Tusche und leichte Farben auf Papier. Werk des Sesshū (1420 bis 1506). *45,7 × 27,9 cm. National-Museum, Tōkyō. Vgl. Seite 153*

ABB. 36 – Haboku-Landschaft. Tusche auf Papier. Werk des Sesshū (1420–1506). *147 × 35,6 cm. National-Museum, Tōkyō. Vgl. Seite 155*

ABB. 37 – Yuima. Tusche auf Papier. Werk des Bunsei, ca. 1457. *91,4 × 33 cm. Yamato Bunka-kan, Nara. Vgl. Seite 159*

35

38

39

die Querrollen mit ähnlichen Landschaftsdarstellungen aus der Sung-Dynastie. Die Japaner selbst waren mit diesem Format von den herrlichen Rollbildern aus der Kamakura-Periode her vertraut, auf denen über lange Passagen Landschaften den Hintergrund für Geschichten von Leben und Taten von Mönchen bilden. Zwei solcher Rollen, die völlig in chinesischer Art gemalt sind und von denen die sogenannte »Große Landschaftsrolle« insgesamt knapp 16 m lang ist, sind von Sesshū überliefert. Die Abbildung nur eines einzigen Ausschnitts würde der durchgängigen Inspiration und den wechselreichen Stimmungen, die ein Künstler innerhalb einer Rolle darstellen kann, kaum gerecht. Wie oft hervorgehoben worden ist, unterscheiden sich solche Landschaftsrollen von westlicher Landschaftsmalerei dadurch, daß sie der Kunst des Malens das Zeitelement hinzufügen. Die Arbeit ist chinesisch in der Inspiration, und es dürfte schwierig sein, sie von einem chinesischen Bild zu unterscheiden, wäre nicht die sehr klare, kräftige Pinselführung und die Tendenz zur Schematisierung in den Hintergrundbergen. Die Japaner haben eine Vorliebe für die sorgfältige Beobachtung kleiner Details, die sie dann zu einem großen Ganzen zusammensetzen. Die Chinesen neigen dagegen mehr dazu, die Natur zu betrachten, und zu einer Synthese zu führen. Die japanische Darstellungsweise ist dafür oft inniger und folglich wird die Größe der chinesischen Landschaft häufig reduziert.

In der strengen »Winterlandschaft«, die zu seinen berühmten »Landschaften der vier Jahreszeiten« gehört, scheint Sesshū bewußt versucht zu haben, die Natur auf einige wenige gezackte Pinselstriche zu vereinfachen. Die Szene schildert tiefsten Winter mit ABB. 35

ABB. 38 – Ama-no-Hashidate. Tusche und leichte Farben auf Papier. Werk des Sesshū (1420 bis 1506). *88,9 × 178,2 cm. Staatl. Kommission zum Schutz des Kulturbesitzes, Tōkyō. Vgl. Seite 154*

ABB. 39 – Sturm an der Küste. Tusche und leichte Farben auf Papier. Werk des Sesson (1504 bis ca. 1589). *22,9 × 30,5 cm. Sammlung Nomura, Kyōto. Vgl. Seite 156*

ABB. 40 – Gebirgslandschaft im Nebel. Werk des Sōami (?–1525), *Höhe 130 cm. Daitoku-ji-Tempel, Kyōto. Vgl. Seite 157*

den scharfen Kontrasten von Schwarz und Weiß, eine Welt, in der der Schnee alles in ein starres Relief verwandelt, das sich in klarer Kontur und Silhouette ausdrückt. Es ist eine Skelettwelt, in der sich eine gebeugte Gestalt langsam auf die schneebedeckten Dächer eines fernen Dorfes zu bewegt. Hier hat Sesshū durch die Betonung der Linie den chinesischen Stil so weit getrieben, wie es von den Chinesen niemals versucht wurde. Eine Vitalität, die sich bei vielen japanischen Werken in den Stilen der chinesischen monochromen Tuschmalerei findet, durchdringt das Bild. Vor allem ist die Weichheit der Sung-Malerei hier aufgegeben und die Schwäche der Ming-Traditionalisten durch eine Virilität abgelöst worden, die fast bis zur Heftigkeit reicht. Viele japanische Maler jedoch verwechselten technische Fähigkeit mit künstlerischer Kraft. Es ist ein Stil, dem nur allzu leicht zu folgen ist, jedoch auf die Gefahr hin, die Qualitäten aufzuopfern, die ihn einerseits vor der Sentimentalität und andererseits vor einem technischen Exhibitionismus bewahren.

Sesshū aber – anders als so viele seiner Zeitgenossen, die nur chinesische Landschaften, reale oder imaginierte, malten – war mit dem Verständnis für die Landschaft seines Heimatlandes ein echter Japaner. Er war einer der ersten Maler, die erkannten, daß man die Lehren der chinesischen Schwarz-Weiß-Malerei durchaus auf die Landschaft Japans anwenden konnte.

ABB. 38 Sesshūs »Ama-no-Hashidate« (Name einer Sandbank, die zu den »Drei Landschaften« gehört) auf Abbildung 38 zeigt, ein wenig aus der Vogelschau, diese sehr beliebte Landschaft mit ihren abgerundeten vulkanischen Hügeln, an die sich die Vegetation anschmiegt, und den kleinen Inseln, die alle immer wieder wegen ihrer zauberhaften Schönheit besucht werden. Solche Landschaften haben das Komprimierte eines japanischen Gartens, so wie die englische Landschaft manchmal einem Park mit kunstvoll verbesserter Natur gleicht. Die drei Ebenen sind durch das mit Schiffen belebte Wasser geschickt miteinander verbunden. Die Kühnheit der Linie wird durch den kleinen Maßstab gebändigt. Dunstige Sommeratmosphäre liegt über dem Hintergrund und verleiht ihm weiche Tönungen. Das Auge wird verlockt, den Bergpfad zu einem

Dörfchen aufwärtszusteigen, das sich am Gipfel hinduckt. Um das Interesse zu erhöhen, versieht der Künstler die wichtigen Tempel und Schreine mit Beischriften. Gelehrte haben nachgewiesen, daß er dies vermutlich als eine Skizze für eine heute verlorene endgültige Fassung malte, als er bereits über 80 Jahre alt war. Es könnte auch gut nur ein Ausschnitt aus einer langen Rolle sein, die, in der großartigsten Weise gemalt, von einer Reise entlang der Küste Japans berichtet.

Man kann Sesshū nicht verlassen, ohne die bedeutendste Tusche-Landschaft zu erwähnen, die von der gesamten fernöstlichen Tusche-Tradition hervorgebracht wurde: seine »Haboku-Land- ABB. 36 schaft« aus dem National-Museum, Tōkyō. Hier hat der Künstler auf die kräftigen Umrisse verzichtet, die er in seinem anderen Landschaftsstil benutzte; einige wenige, scheinbar hastige Spritzer und Lavierungen in verschiedenen Tönungen sind mit explosiver Kraft mitten hineingesetzt in eine dunstige Landschaft mit Bäumen, Hütten und sich im Hintergrund auftürmenden Bergen. Kein Künstler des 20. Jahrhunderts hat jemals die Landschaftselemente vollständiger abstrahiert.

Die Technik ist chinesischer Herkunft und entwickelte sich seit der T'ang-Dynastie. Sie war bei den Zen-Malern sehr beliebt, weil sie durch sie mit Pinsel und Tusche den Vorgang, der zur geistigen Erleuchtung führen kann, zu veranschaulichen vermochten. Solche offenbar spontane Schöpferkraft hat etwas Magisches, was ihrer Philosophie zusagte; und die Einfachheit und Sparsamkeit der Mittel zog sie unwiderstehlich an. Die Komposition ist, wie sie sich von dem kräftigen Vordergrund hin zu den stillen, fast verhüllten Bergen entwickelt, meisterlich. Die winzige Gestalt in dem Boot liefert einen wichtigen Schlüssel für den Maßstab und führt ein wirkungsvolles menschliches Element ein. Es ist außerordentlich schwierig, die Technik überzeugend auszuführen. Sesshū hatte, während er sich auf dem Festland aufhielt, von der künstlerischen Begabung seiner Zeitgenossen in China nur sehr wenig Günstiges zu sagen; aber er berichtete, wie dankbar er war, daß er wenigstens diese besondere Technik von ihnen hatte lernen können. Das Ergebnis ist sowohl expressiv als auch in hohem Maße dramatisch. Aus diesen

beiden Richtungen kommt der japanische Beitrag zur Tuschmalerei. Der kräftige Pinsel der japanischen Maler fügt ein explo-
sives Element hinzu, das in chinesischer Malerei selten zu finden ist.
Aber für den Japaner besteht die Gefahr, daß er es übertreibt und
sich an der Technik um ihrer selbst willen erfreut.

Es ist vielleicht ungerecht, in einem Überblick dieses Umfangs drei
Werke eines einzigen Meisters wiederzugeben; aber zweifellos ist
Sesshū einer der genialsten Künstler der japanischen Malerei; er
verkörpert viele künstlerische Elemente seiner eigenen Zeit und
nimmt spätere vorweg. Er lebte in zwei verschiedenen Welten und
arbeitete zu einer Zeit, als der japanische Künstler sich dieser
Ambivalenz bewußt wurde. Er wußte um die Neuerungen seiner
Zeit, die Leistungen Chinas, aber auch um die Verpflichtung, die
seine eigene Kultur ihm auferlegte. Er ahnte, daß er seine chinesischen Zeitgenossen in ihrem eigenen Bereich übertreffen und
gleichzeitig seinen Landsleuten die Schönheiten ihrer eigenen
Landschaft bewußt machen konnte. Niemals zögerte sein Pinsel,
und in seinen Werken liegt eine erregende Kühnheit; jedes trägt
den Stempel der Individualität und Sicherheit. Seine Kunst wur-
zelt wohl in den Traditionen Chinas, doch sie atmet den Geist des
japanischen Temperaments.

Sesson

ABB. 39

Ein kleines Tuschbild, in der Nachfolge Sesshūs gemalt, veranschaulicht den Stil der Tuschmalerei, wie er am Ende der Periode
beobachtet wird. Sein Schöpfer Sesson (1504 bis ca. 1589) lebte
und arbeitete abseits von Kyōto, dem künstlerischen Zentrum. Sein
kraftvoll gemalter »Sturm an der Küste« setzt die ganze wirkungsvolle Sparsamkeit, die in der Tuschmalerei möglich ist, ein, fügt
aber eine Atmosphäre und eine Bewegung hinzu, die in dieser
Leidenschaftlichkeit in chinesischer Malerei selten ist. Die Gewalt
der Elemente scheint er intensiver empfunden zu haben als die
Chinesen. Ein winziges Boot mit zerbrechlichen Segeln läuft vor
dem Wind. Regenschwaden, durch Lichtstreifen aufgehellt, peit-
schen über die Szene, stürmische Wogen stürzen sich gegen die
Felsen. Die ganze Bildbewegung verläuft diagonal von rechts oben
nach links unten, und alle Bestandteile des Bildes – Bäume, Bambus,
Boot und Hütte – stemmen sich gegen den Angriff der Elemente.

Das ist keine den Chinesen nachempfundene intellektuelle Landschaft, sondern eine persönliche Erfahrung, dramatisch niedergeschrieben mit konsequentem Blick und sicherer Technik.

Es ist kein weiter Schritt vom Werk Sesshūs und Minchōs zu dem der »Drei Ami«: Nōami (1397–1471), dessen Sohn Geiami (1431 bis 1495) und Enkel Sōami (1472–1525), den wir als Autor des Katalogs der Ashikaga-Gemälde erwähnten. Sōami war von den Landschaftsmalern Südchinas angezogen. Diese malten ruhige Landschaften, in denen die Umrisse in Dunst und Wolken aufgelöst erscheinen. Diese Art Szenerie war den Japanern vertrauter, und sie reagierten rasch darauf. Die Landschaft auf Abb. 40 befand sich einst auf einer Schiebetür und wurde erst später als Hängerolle montiert. Es ist ein klassischer südchinesischer Vorwurf mit schwingenden Hügeln und mit Nebelbänken, die den Übergang vom Vordergrund in den Mittelgrund und in den Hintergrund vollziehen. Das Auge kann mühelos der zurückweichenden Landschaft folgen. Einige Boote verleihen der Landschaft erst die Tiefe. Die Wirkung wird noch erhöht durch den Weg, der sich um den Berg herumschlängelt. Vielfach erscheint in dem Werk der Drei Ami die Pinselführung etwas forciert und der Rhythmus allzu bewußt formuliert; aber hier hat Sōami eine rein atmosphärische Szene hervorgebracht, die mit vornehmem Feingefühl gemalt ist. Selbst das große Format hat seine Ausdruckskraft nicht vermindert.

Die vom Zen inspirierten Landschaften dieser Periode stellen einen der Höhepunkte japanischer Malerei dar. Im Verlaufe der Periode verlor die religiöse Inspiration allmählich an Einfluß, und ihr Platz wurde von dem immer starken japanischen Sinn für das Dekorative eingenommen. Dies vollzog sich in den Werken der Kanō-Schule, die in zunehmendem Maße die künstlerische Szene beherrschte, bis sie – wie wir später in der Tokugawa-Periode sehen werden – sich zur »offiziellen Schule« entwickelte, die vom Hof und von allen, die sich um Kultur bemühten, begünstigt wurde. Der Begründer der Schule war Kanō Masanobu (ca. 1435–1530), ein Zeitgenosse von Sesshū; gefestigt wurde ihr Ruhm durch Kanō Motonobu (1467 bis 1559). Die Familie brachte Generation um Generation fähiger

Nōami, Geiami, Sʾami

ABB. 40

Kanō-Schule

Maler hervor; dabei handelte es sich zum Teil um echte Mitglieder der Familie und zum Teil um solche, die nach guter fernöstlicher Sitte als vielversprechende Schüler adoptiert wurden, um den Familiennamen zu erhalten.

Von Anfang an waren die Mitglieder der Kanō-Schule keine Priester und konnten deshalb auf den religiösen Gehalt verzichten. Häufig jedoch wurde das Buddhistische durch ein Element der konfuzianischen Moral ersetzt, das die Popularität des konfuzianischen Denkens nach seinem Sieg in China widerspiegelt. Die Kanō wurden aufgefordert, großformatige Bilder zur Dekoration der ABB. 41 neuen Paläste auszuführen. Der »Storch auf einem Ast« auf Abb. 41 ist eine von 49 »Landschaften mit Blumen und Vögeln«, die Motonobu zum Schmuck des Rei'un-in, eines Tempels in Kyōto, malte. Das Bild war auf eine *fusuma* oder Schiebetür gemalt und ist heute als Hängerolle aufgezogen, um es zu konservieren.

Das Gemälde hat keine großen Ambitionen oder religiösen Anklänge. Ein anmutiger Vogel sitzt auf einem knorrigen Kiefernast über dem Wasser. Der Nebel und einige dekorative Wellen unter ihm sollen die Einsamkeit der Landschaft im Hintergrund andeuten, aber in einer, verglichen mit chinesischen Sung-Landschaften gefälligen Weise. Alle Elemente des Bildes sind von der chinesischen Malerei her vertraut, um nicht zu sagen Klischees, und die wahrhafte Tiefe der Empfindung fehlt. Der Maler nähert sich seinem Gegenstand nicht mit Demut, sondern – wie ein Dekorationsmaler soll – mit Kühnheit und Selbstvertrauen. Er arbeitet mehr von *Dekorative Kunst* außen als von innen her; das Ziel ist ein rein dekoratives Bild, und das erfordert eher Klarheit des Ausdrucks als Feinheit des Gefühls. Stilisierung tritt an die Stelle inneren Lebens. Man muß diesen Bildtypus mit einem ganz anderen Maßstab beurteilen als die chinesische Malerei. In ihrer Art gehört diese Malerei zu der eindrucksvollsten und künstlerischsten dekorativen Kunst. Hier hat man die Kraft der Pinselführung und die kühne Konzeption zu würdigen. Die Japaner bewundern an einem solchen Werk den Wagemut, den Ausdruck einer kraftvollen Persönlichkeit und wie es den Raum beherrscht.

Die japanische Begabung für Porträtmalerei setzte sich in dem

Porträt des Buddha-Schülers Yuima (Sanskrit: Vimalakirti) fort, ein ABB. 37 sowohl in der chinesischen als auch der japanischen Malerei beliebtes Thema. Nach buddhistischer Überlieferung war Yuima ein Laienschüler Buddhas, der sich weigerte, Priester zu werden, und in religiösem Disput mit dem Bodhisattva Monju (Sanskrit: Manjusrî) dargestellt wird. In diesem Falle beauftragte ein Priester einen Mönch vom Daitoku-ji-Tempel in Kyōto, das Bild des Heiligen als das Porträt seines Vaters zu malen, der ein *samurai* gewesen war. Dieser Mönchs-Maler war Bunsei (Mitte 15. Jahrhundert), der *Bunsei* auch für seine Landschaften im chinesischen Stil berühmt war. Das Werk ist mit dem Jahr 1457 datiert. Viele Zen-Priester-Porträts sind erhalten geblieben, aber die meisten von ihnen sind nach einem etwas starren Schema gemalt, in dem der Priester unbeweglich auf einem großen Stuhl sitzend dargestellt wird. Da die Zen-Schule Heiligenbildern und religiösen Illustrationen wenig Wert beimaß, war dieser Typus der Porträtmalerei ein beliebter Ausweg für künstlerische Talente. Diese Gestalt Yuimas unterscheidet sich in ihrer Kraft und Freiheit völlig von den feierlichen Zen-Porträts. Die starke Lebhaftigkeit ist typisch japanisch, und die kräftigen Umrisse der Gewänder offenbaren so unverkennbar den japanischen Pinsel, wie es auch bei vielen imaginierten Porträts Bodhidarmas der Fall ist. Selten gelang es einem japanischen Künstler so gut, Natur und Ideal harmonisch miteinander zu verbinden. Die Wirkung kommt aus einer Kombination von männlicher Kraft, feierlichem Ernst und Einfachheit in der Komposition, verbunden mit einer untadeligen Pinselführung. Die Japaner entwickelten in solchen Porträts das dramatische Gefühl in einer sehr persönlichen Weise.

Die Zen-Anschauungen hatten einen beträchtlichen Einfluß auf die *Teezeremonie* Kunst des Tees, die als die Teezeremonie bekannt ist. Der Tee wurde von chinesischen Mönchen eingeführt, und die japanischen Mönche entdeckten, daß er die Eigenschaften eines milden Stimulans hatte, das dem Leben eines Mönches angemessen war. Er sollte Harmonie, Klarheit und Gelassenheit herbeiführen, die wesentlichen Elemente der priesterlichen Gemeinschaft. Kaum ein Gebäude wurde errichtet ohne einen Teeraum: klein, geschmackvoll und einfach in Dekor und Bauweise, wie es der Meditation dienlich war. Dort waren Standesunterschiede aufgehoben, man führte geistige Gespräche, und künstlerisches Verständnis galt als Voraussetzung. Die Teeschalen selbst sind kraftvoll in ihrer Schlichtheit, niemals den Ton, aus dem sie gemacht sind, verleugnend und die Hand des Töpfers offenbarend. Die anderen Geräte und Ausstattungsgegenstände werden so gewählt, daß sie sich voneinander abheben: ein schönes Stück Seide, ein anspruchsloser eiserner Kessel. Manchmal hat diese raffinierte Einfachheit einen geradezu beschwörenden Reiz, und die frühen Teemeister waren empfindsame Schiedsrichter des Geschmacks. Zweifellos hat die Teezeremonie in Japan zu einer Wertschätzung des schlichten, guten Geschmacks angeregt, die Menschen ermuntert, für einen Augenblick bei den Eigenschaften auch der anspruchslosesten Gegenstände zu verweilen und über das Wesen der Schönheit nachzudenken.

VIII. DIE MOMOYAMA-PERIODE
1568–1615

Die vorangegangene Ashikaga-Periode hatte viele Veränderungen in der japanischen Gesellschaft gebracht. Während der langen Kriege war eine neue Klasse von Kriegern entstanden, die von weit niedrigerer Herkunft waren als jene, die bis dahin das Reich regiert hatten. Sie waren durch ihre militärische Tapferkeit zur Macht aufgestiegen; dieser Entwicklungsprozeß verdrängte die älteren Familien und machte die neuen Krieger zu Herren großer Gebiete. Zum erstenmal war mehr die Fähigkeit als die ererbte Stellung ausschlaggebend. Ihr Gefolge hielten die neuen Machthaber durch eine Mischung aus gerechter Herrschaft und strenger Disziplin, die durch harte Bestrafung für jede Übertretung durchgesetzt wurde, zusammen. Das Rezept war in vielem das gleiche wie das der frühen Kamakura-Führer. Durch gerechte Behandlung der Bauern gewannen sie die Unterstützung jener Gesellschaftsschicht, die bis dahin sehr unter ihren Herren gelitten hatte. Dies war ein neues Element in der japanischen Politik.

Die neue Kriegerklasse

Die neue Kriegerklasse baute sich riesige Schlösser, manchmal bis zu sieben Stockwerke hoch, die sich anmutig über den geschwungenen Steinwällen erhoben. Und es kann als ein Beweis für die im Fernen Osten angeborene Liebe zur Wissenschaft und Kunst gelten, daß diese rauhen Krieger, ohne die Vorteile einer ererbten Kultur zu besitzen, sich sofort darum bemühten, solche Paläste zu Zentren der Kunst zu machen, indem sie Dichter aufnahmen und ansässige Künstler beschäftigten. Und diejenigen, die sich am China-Handel beteiligten, interessierten sich besonders für die Künste, so daß Kyōto folglich seine Stellung als einziger Ort in Japan, der ein umfassendes Kunstleben besaß, verlor.

Nobunaga

Der Begründer der Momoyama-Periode war für die neuen Führer typisch. Oda Nobunaga (1534–1582) kam aus einer Familie, die im 15. Jahrhundert verhältnismäßig unbekannt gewesen war. Er war erst 20 Jahre alt, als er 1551 das Oberhaupt seiner Familie wurde, und seine Stellung war heftig umstritten. Aber bis 1559 erlangte er durch seinen Mut und durch seine Entschlossenheit die unbestrittene Führerstellung in seinem Clan und er wurde zum Herrn über die Provinz Echizen. Im folgenden Jahr besiegte er seinen Rivalen und Nachbarn Imagawa und hatte damit eine gute geographische Position erreicht, um Kyōto, das direkt jenseits der schmalsten Stelle seines Landes lag, zu kontrollieren. Nobunaga stärkte seine Macht durch Heirat und Feldzüge, und wurde darin von den beiden fähigen Generälen Tokugawa Ieyasu und Toyotomi Hideyoshi, die sein Werk später fortsetzen sollten, tüchtig unterstützt. Es dauerte nicht lange, so rief der geschwächte Ashikaga-Shōgun Yoshiaki, schwer bedrängt von den sich ihm widersetzenden Kriegern, Nobunaga zu Hilfe. Dieser folgte dem Ruf sofort und verhalf Yoshiaki wieder zu seiner Macht. Zunächst respektierte Nobunaga den Shōgun und den Kaiser, aber Yoshiaki, der vielleicht glaubte, Nobunaga wäre nur ein weiterer Emporkömmling, wollte Nobunagas Reformwünsche nicht anerkennen, sondern seinen Beschützer loswerden und intrigierte gegen ihn. So tat Nobunaga 1573 den notwendigen Schritt und setzte ihn ab. In der Tat waren, nachdem einmal ein neuer Führer mit hinlänglicher Macht aufgetaucht war, die Ashikaga überflüssig geworden.

Nobunaga ging nun daran, jeden tatsächlichen oder potentiellen Angreifer niederzuschlagen, und tat dies mit einer Unbarmherzigkeit, die selbst für das Japan jener Tage außerordentlich war. Er begann damit, den übrigen Adel zu unterwerfen und die kriegerischen Mönche in den Tempelfestungen des Berges Hiei-san und an anderen Orten zu überwältigen. Die stärkste dieser Festungen in Ōsaka konnte er erst nach zehnjähriger Belagerung einnehmen.

Hideyoshi 1582 wurde er schließlich von einem unzufriedenen General ermordet, und es blieb seinem Stellvertreter Hideyoshi überlassen, sein Werk zu vollenden. Bis 1587 gelang es Hideyoshi, die südliche Insel Kyūshū und bis 1590 den undisziplinierten Norden zu überwältigen. Weiterer Widerstand erschien nun zwecklos.

Hideyoshi, der »Napoleon Japans«, starb 1598, und die letzten 17 Jahre der Momoyama-Periode waren von den Kämpfen Tokugawa Ieyasus um die Machtübernahme erfüllt und von seinem

Fig. 54 – Himeji-jō (»Himeji-Schloß«), Präfektur Hyōgo. Vgl. Seite 164

Bemühen, das Reich so zu organisieren, daß er und seine Nachfolger es behaupten konnten.

Die Momoyama-Periode dauerte kaum ein halbes Jahrhundert,
aber sie legte die Fundamente für das moderne Japan und bereitete
den Weg für die 250 Friedensjahre der folgenden Tokugawa-
Periode.

Nachdem er die höchste Macht erlangt hatte, sah sich Hideyoshi
der Aufgabe gegenüber, seine Armeen, die auf eine viertel Million
Mann angewachsen waren, zu beschäftigen. So faßte er den Plan
zu einem Feldzug außerhalb des Inselreiches. Der Handel mit
China hatte gezeigt, wie einträglich China sein konnte, und
Hideyoshi beabsichtigte sogar, das Festland in diesem letzten halben
Jahrhundert der untergehenden Ming-Dynastie – sie brach 1644
zusammen – anzugreifen. Jedoch entschloß er sich dann für Korea,
das er 1592 und 1597/98 überfiel. Während des zweiten Feldzuges
starb Hideyoshi 1598, und Tokugawa Ieyasu trat seine Nachfolge
an. Die beiden Feldzüge waren beinahe ein völliger Fehlschlag.

Die Momoyama- oder »Pfirsich-Berg«-Periode ist nach einem

Schloß dieses Namens benannt, das Hideyoshi 1593 errichtete. Eines der Schlösser Nobunagas, das am Ufer des schönen Biwa-Sees nahe bei Kyōto lag, wurde 1582 nach seinem Tode zerstört. Das größte, das Hideyoshi in Ōsaka baute, wurde 1615 zerstört. Das bekannteste ist das Shirasagi-jō oder »Weißer-Reiher-Schloß«

FIG. 54

in Himeji (meist Himeji-jō, Himeji-Schloß genannt), das in jüngster Zeit restauriert wurde und eines der anmutigsten ist. Es stammt aus dem Ende des 16. Jahrhunderts und wurde 1608/09 erweitert. Ein großer Turm mit sieben Stockwerken erhebt sich etwa 30 m über Granitmauern mit kleinen vier- oder fünfstöckigen Türmen, eine einzigartige Verbindung von Anmut und Stärke, die oft auch die Hauptcharakteristika der Momoyama-Kunst ganz allgemein darstellen. Doch wurden solche Schlösser als militärische Festungen sehr schnell unbrauchbar durch die Einführung der Feuerwaffen, die die Portugiesen, die zu dieser Zeit als Missionare ins Land kamen, mitbrachten.

Dennoch bildeten diese Schlösser den Rahmen für die Kultur der Momoyama-Periode und bestimmten ihre Richtung. Die Feld-

Bau von Schlössern

herren scheuten keine Ausgabe, um die Räume der Schlösser mit einer Kunst von köstlicher Heiterkeit und Pracht zu schmücken, mit einer dekorativen Kunst, die nicht ihresgleichen hat. Wie viele Emporkömmlinge waren diese Männer entschlossen, zu dem, was sie erreicht hatten, alles, was sie durch ihre Macht noch erlangen konnten, hinzuzufügen – Luxus, Eleganz und eine ihrem farbenfreudigen und glänzenden Leben angepaßte Kunst. Der Wunschtraum ihres Zeitalters spiegelt sich in dem ruhelosen Suchen nach Neuem und nach Originalität, ganz ähnlich wie in dem Italien des frühen 16. Jahrhunderts. Aber während die Figur des Menschen und die Erfordernisse des Realismus die Möglichkeiten der westlichen Künstler ziemlich einschränkten, waren die Japaner frei, um mit Form und Farbe fast ohne Beschränkung zu experimentieren. So genügte ein Baum oder irgendein anderer Gegenstand der Natur, um auf die Wirklichkeit hinzuweisen.

Kanō Eitoku

Kanō Eitoku (1543–1590), Enkel des Motonobu, war der Anreger dieser frühen »Modernen Periode« in der japanischen Kunst und wurde von Nobunaga und Hideyoshi bestimmt, die neuen Schlösser zu schmücken. Hideyoshi baute 1587 in Kyōto den Jūraku-Palast, das »Haus des Vergnügens«, einen Bau von unvergleichlicher Pracht, wozu Eitoku die Bilder auf den Schiebetüren beisteuerte. 1591 gab er diesen Palast seinem Neffen und baute mit, wie es heißt, 50000 Mann in nur zwei Monaten den »Palast des Friedens« auf dem Momo-yama, dem »Pfirsich-Berg«, südlich von Kyōto. Er wurde mit einem Park umgeben, und die größten Künstler der Zeit wurden beauftragt, ihn auszuschmücken, um einen würdigen Rahmen zu schaffen für die Gelehrten und Schriftsteller, die Hideyoshi um sich versammelte. Dieser Palast wurde kurz nach Hideyoshis Tod durch Feuer und Erdbeben zerstört. Die Handwerker und Künstler, die ihn geschaffen und ausgeschmückt hatten, zerstreuten sich, um die neuen Dekorvorstellungen in vielen anderen Gebieten des Landes zu verbreiten.

Auch von Eitokus Werk ist nicht viel auf uns gekommen, und deshalb ist es schwierig, ein vollständiges Bild von seinem Beitrag zur japanischen Kunst zu geben. Jedoch der Schirm in Abb 42 ABB. 42 zeigt seinen Stil in voller Ausprägung. Der Ausgangspunkt dieser herrlichen Komposition ist ein riesiger knorriger Baumstamm, der seine fühlerartigen Arme ausstreckt, um noch das entfernteste Paneel zu berühren und festzuhalten. Ein tiefblauer See mit Felsen und dicke sich türmende Wolkenbänke, geschickt angeordnet, um einen scharfen Kontrast zu dem alten Baum zu bilden, vervollständigen eine kraftvolle Komposition, die wenige Parallelen in der dekorativen Kunst haben dürfte. Die wenigen Blätter am Baum stören nicht die kühnen Konturen, der Bildaufbau mit seinen prächtigen Vertikalen und Horizontalen hat eine einfache Basis. Der Geschmack erscheint hier auf eine freimütige Weise prunkvoll, um sich dem Charakter der neuen Herrscher Japans anzupassen, die sich das Raffinement des Ashikaga-Geschmacks nicht leisten konnten und auch kein Verständnis dafür hatten. Solche Kunst wurde in der offenen Absicht, die Natur zu überbieten, »die Lilie zu vergolden«, geschaffen. Sie versucht, die Landschaftselemente in einer solch kühnen Weise in das Innere des Hauses zu bringen, daß der Betrachter überwältigt ist. Ein wichtiges Element der modernen japanischen Malerei zeigt sich in der Art, wie die Landschaft absichtlich über den Rand des Schirmes tritt, als wollte sie keinerlei Beschränkung anerkennen. Der Reiz, den die alten fernöstlichen Künstler auf die Phantasie des Betrachters ausüben, findet hier eine neue Formel, die den Empfindungen der Chinesen oder des Zen nicht verpflichtet ist.

Miniaturobjekte

Solche Schirme zeigen auf großartige Weise die Kombination von Kunst und Natur, die auch späterer japanischer Kunst zugrunde liegt; wie etwa bei einer Teeschale, einem Blumenarrangement, einem Farbholzschnitt oder einem Garten. Die Miniaturobjekte, die immer eine Quelle des Entzückens sind, entstammen der gleichen Kombination – Gold auf schwarzem Lack, prächtige Edelmetalle auf unedlen Metallen an einem Schwertstichblatt. Der japanische künstlerische Sinn wandte sich ab vom Zurückhaltenden und Gebändigten, vom Implizierten und Evokativen, so als ob er sich gegen die chinesischen Meister und ihre japanischen Schüler wehre. Farbe und Zeichnung wurden reichlich und bestimmt. Lebhafte Kontraste werden manchmal bis zum Zusammenprall gesteigert. Man fragt sich, ob dies nicht von den Textilien der Periode beeinflußt war, die stetig kühner und auffallender geworden waren; darauf werde ich noch zurück kommen.

Gleichzeitig waren für den neuen Maßstab technische Änderungen erforderlich. Wir hören, daß Eitoku einen aus Stroh gefertigten Pinsel benutzte, um die Kraft des Pinselstriches zu erreichen, die er anstrebte, ähnlich wie es manche modernen Schreibmeister tun. Aber selbst in diesem, in hohen Maße individuellen Stil waren die Grundelemente die bereits bekannten. Ein Blau- und Gold-Stil war seit der chinesischen T'ang-Zeit üblich gewesen, und die Künstler der späten Ming-Zeit benutzten ihn für ihre lieblicheren Werke. Unter der Ming-Dynastie war der architektonische Schwulst vorherrschend; man erwartete von den Künstlern, daß sie entsprechend der pompösen Architektur einen Dekor von gleichem Format schufen. Aber in der Malerei konnten die Chinesen (im Gegensatz zur Handwerksarbeit) niemals das Problem lösen, wie ihre feinen Werkzeuge in dem großen Format zu benutzen wären, während den Japanern dies mit ungeheurer Energie gelang und sie zu prächtigen Ergebnissen führte. Yashiro meint dazu, daß »ein entscheidender Einfluß von spanischer Barockkunst bestanden haben dürfte«. Aber man kann sich nur schwer vorstellen, daß die Japaner irgendein westliches Werk der Barockzeit von großem Format gesehen haben. Die Elemente des neuen Stils waren tatsächlich bereits vorhanden und warteten nur darauf, Gestalt zu gewinnen. Die japanischen dekorativen Künstler wurden sich der Möglichkeit bewußt, die in dem Maßstab lagen, den sie nun anwenden sollten. Die Unbefangenheit dieser Künstler ist oft überraschend, und sie zeigten sich durchaus ihren Meistern gewachsen. Der Snobismus, der die sklavische Imitation chinesischer Gegenstände verlangte, war beseitigt. Die artifizielle Atmosphäre der Ashikaga verblaßte vor dem großartigen Auftreten Nobunagas und seiner Nachfolger.

Gelegentlich war der künstlerische Geist stark genug, um etwas von dem chinesischen Geschmack zu bewahren und innerhalb der neuen Entwicklung eine neue Bedeutung zu geben. Dies trifft besonders auf Hasegawa Tōhaku (1539–1610) zu. Er bewunderte Sesshū und führte sogar einen Prozeß, um das Recht durchzusetzen, sich »Sesshū V.« zu nennen. Abb. 44 zeigt einen Schirm von Tōhaku, »Kiefern im Morgendunst« (zu dem noch ein Pendant gehört). Die weiche Landschaft ist ihrem Wesen nach japanisch. In der Liebe zu seinem Land ist Tōhaku ein wahrer Nachfolger Sesshūs: die sanfte Tusche, die vom Papier aufgesaugt und dabei blasser wird, sein Vertrauen auf Farbton und Atmosphäre, die Einfachheit der Komposition, alles ist von starker Eindringlichkeit. Sein Genie liegt aber vor allem in der Fähigkeit, eine solche Szene zu vergrößern, ohne daß sie an Empfindung einbüßt und ohne daß die Komposition auseinanderfällt und weite leere Flächen hinterläßt. Die Japaner treiben – mit ihrer Konzentration auf die Technik – oft eine Möglichkeit bis zum äußersten, ohne zu wissen, wo sie aufhören sollen. Tōhaku jedoch gelingt es durch die lyrische Qualität seiner Vorstellungen, dieser Gefahr zu entgehen. Das Motiv dieser Schirme scheint sich nicht für die Größe und Pracht, die die Zeit forderte, zu eignen, aber Tōhaku appelliert an die romantische Sehnsucht nach Einfachheit und Harmonie im japanischen Temperament. Er hatte von der chine-

Hasegawa Tōhaku

ABB. 44

sischen Malerei gelernt, wie man die Vornehmheit und den strengen Charakter der für die gesamte fernöstliche Kunst so wichtigen Kiefern darstellt und wie ihnen eine Atmosphäre kühler, dunstverhüllter Eleganz und Kraft zu geben war. Er hatte außerdem von der chinesischen Malerei gelernt, wie man unnötige Details ausläßt. Jeder Schirm ist geschickt variiert, die Bäume haben fast eine menschliche Haltung. Keine grellen Farben bedrängen das Auge, keine komplizierten Verflechtungen schmeicheln den Sinnen. Die Herbheit ist gemildert, weist aber Prunkhaftes zurück. Hier haben wieder einmal die leeren Räume die Bedeutung, die sie in den besten Landschaften der Sung-Zeit Chinas haben und die eine schwer definierbare, unausgesprochene Einsamkeit evoziert. Nichts könnte von dem Bestreben Eitokus, die Wirklichkeit zu überhöhen, weiter entfernt sein als diese Schirme. Die Robustheit der Momoyama-Kunst fehlt völlig. Die Fähigkeit Tōhakus, hier die Stimmung einer frühen Morgenkühle, bevor Sonne und Wind die Dunstschleier zerteilen, zu gestalten, macht dieses Bild zu einer der am häufigsten abgebildeten Landschaften.

Bisher war die Geschichte der japanischen Kunst eng mit dem buddhistischen Glauben verbunden gewesen. Doch noch eine andere der großen Weltreligionen sollte Japan erreichen – das

Christentum Christentum. Allerdings war sein Erfolg, wie groß auch anfangs, nicht von langer Dauer. Das Christentum erreichte Japan durch die portugiesischen Jesuitenmissionare – unter ihnen der bekannte

Franz Xavier Franz Xavier – in der Mitte des 16. Jahrhunderts, gerade zu Ende der Ashikaga-Periode; diese ersten Missionare wurden gut aufgenommen. Die Zukunft sah vielversprechend aus. Als Nobunaga an die Macht kam, nahm eine Anzahl von Militärpersonen und ein-

ABB. 41 – Storch auf einem Ast. Tusche und leichte Farben auf Papier. Werk des Kanō Motonobu (1476–1559). *50,8 × 118,1 cm. Rei'un-in-Tempel, Kyōto. Vgl. Seite 158*

ABB. 42 – Hinoki (»Zypressen«), Faltschirm. Farbe auf Goldgrund (Papier). Zugeschrieben Kanō Eitoku (1543–1590). *168 × 456 cm. National-Museum, Tōkyō. Vgl. Seite 165*

ABB. 43 – Namban-byōbu (»Südbarbaren«-Schirm). Ankunft des Jesuitenmissionars Franz Xaviern. *Meister unbekannt um 1700. Musée Guimet, Paris. Vgl. oben und Seite 173*

41

44

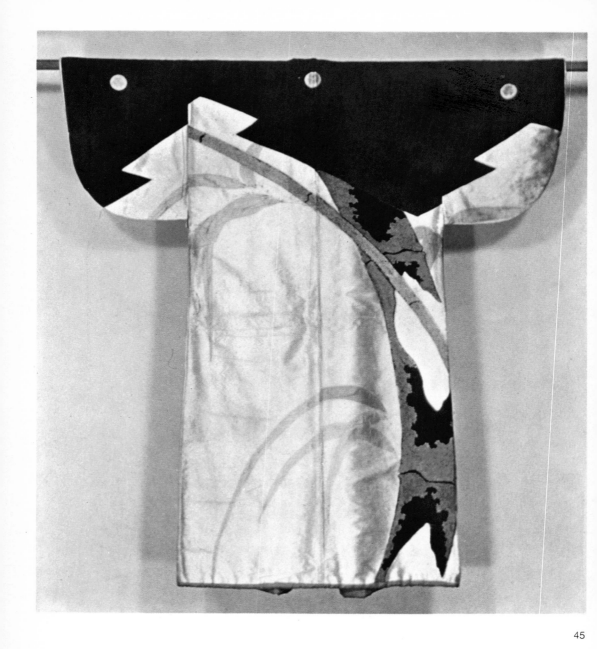

fache Leute den christlichen Glauben an. Nobunaga begegnete einem der frühen Missionare und schien ihm gewogen zu sein – vielleicht weil er eine Abneigung gegen die Buddhisten hegte, die ihm mit ihren politischen Ambitionen solchen Verdruß bereitet hatten. So unterstützte und beschützte er die Christen während seiner dreizehnjährigen Herrschaft. Kirchen wurden errichtet, und die Zahl der Gläubigen wuchs rasch, ein Erfolg, der in vielem auf den Verfall der meisten buddhistischen Schulen der Zeit zurückzuführen ist. Einige bedeutende Adlige nahmen den christlichen Glauben an und erwiesen sich als sehr treu in ihren Überzeugungen. Die Japaner, immer neugierig auf fremde Sitten, begannen europäische Schmuckgegenstände zu tragen, und europäische christliche Motive fanden langsam ihren Weg in die Künste, selbst auf den Rüstungen der Krieger.

Freilich, die weitreichendste westliche Neuerung, die die Portugiesen mit sich brachten, waren die Feuerwaffen, die in einem Land, das schnell den Wert einer Überlegenheit verschaffenden Waffe erkennt, bald übernommen wurden und zur Zerstörung vieler der damaligen Festungen, die wehrlos geworden waren, führen sollten. *Feuerwaffen*

Die interessanteste Wirkung der portugiesischen Fremden auf die japanische Kunst zeigt sich in einer Serie sogenannter Nambanbyōbu oder »Südbarbaren-Schirme«, die die Kleidung und das Verhalten der Ausländer zeigen. Das Format ist völlig japanisch, aber die Figuren sind Europäer, und sie sind eindrucksvoll wiedergegeben. Offenbar benutzten die japanischen Künstler die Gelegenheit zur Porträtmalerei, wozu sie die kräftigen Gesichtszüge und die fremde Kleidung der Missionare reizten. Obwohl sie oft einen Widerwillen gegen westliche Gewohnheiten empfanden, malten sie gern Genreszenen vom Leben der Portugiesen in Japan, und ihre ABB. 43

»Südbarbaren-Schirme«

ABB. 44 – Kiefern im Nebel. Faltschirm-Paar. Tusche auf Papier. Werk des Hasegawa Tōhaku (1539–1610). *Jeder Schirm 156 × 347 cm. National-Museum Tōkyō. Vgl. Seite 167*

ABB. 45 – Kosode (»Gewand mit kurzen Ärmeln«). Bambus-Dekor auf weißem und purpurnem Hintergrund. *Höhe 145 cm. Daihiko Senshū Bijutsu Kenkyūjō, Tōkyō. Vgl. Seite 175*

Fähigkeit, die Atmosphäre der Niederlassungen darzustellen, machte ihre Bilder sehr gesucht, sowohl innerhalb Japans als auch im fernen Portugal, wenn sie von portugiesischen Schiffen mitgenommen wurden.

Wir wissen nichts von den Künstlern, die diese Schirme malten, einige mögen ihre Ausbildung in christlichen Schulen erhalten haben. Manche der Gemälde, die sehr deutlich von westlichen Originalen inspiriert sind, sind vermutlich von westlichen illustrierten Büchern beeinflußt. Jedoch nach nur 50 Jahren begann die *Christenverfolgung* Verfolgung der Christen, und der Einfluß der westlichen christlichen Kunst wurde abrupt unterbrochen (siehe nächstes Kapitel).

Textilien und Gewänder Einen Bereich der Kunst haben wir bisher in diesem Buch noch nicht berührt: die Textilien und Gewänder. Von frühesten Zeiten an waren die Japaner von Materialien und ihrem Dekor fasziniert, vielleicht weit mehr als die Chinesen. Gewiß waren zu Zeiten, im Gefolge des kulturellen Einflusses Chinas, chinesische Stile populär, vor allem vom 6. bis zum 8. Jahrhundert; aber das Gewand der japanischen Oberschicht bot immer mehr Gelegenheiten für Vielfältigkeit und Abwechslung in Dekor und Schnitt als das chinesische, wo zum Beispiel die Hofmode sich nur langsam änderte und durch Etikette stark eingeschränkt war. Das zwölffach geschichtete Gewand der Damen am Fujiwara-Hof muß atemberaubend gewesen sein. Die Japaner erfanden sehr viele Methoden, Textilien zu dekorieren, nicht nur Stickerei und Brokatweberei, sondern auch viele verschiedene Färbetechniken, Bemalen mit aufgelegtem Blattgold oder Goldstaub auf feuchtem Lack und schließlich Kombinationen verschiedener Techniken, um möglichst große Mannigfaltigkeit hervorzurufen.

Muster Es sind jedoch nicht so sehr die Techniken, die den japanischen Textilien ihre Originalität geben, sondern die Art ihrer Muster. Das japanische Gewand oder *kimono* ist sehr einfach im Schnitt und hat sich wenig verändert. Die Wirkung liegt im Material selbst. Die Musterzeichner betrachteten das Gewand oft mehr als eine einzige zu dekorierende Fläche denn als ein Stück Material, das sie dann zu einem Gewand verarbeiten wollten. Besonders wichtig war die

Gesamtwirkung, vor allem wenn Gewänder für Schauspieler entworfen wurden. Es gehörte zu Hideyoshis Plan, die Künste und Handwerksarten zu beleben; so holte er Weber, die in früheren Zeiten geflohen waren, zurück und siedelte sie im Nishijin-Viertel in Kyōto an. Seither steht Nishijin in der Seidenindustrie an erster Stelle.

Die Stilformen der Momoyama-Periode waren eine Mischung aus vielen Elementen: der prunkvolle Ming-Stil, der wertvolle Metalle verwandte, das Raffinement des Muromachi-Stils und sogar auch europäische und indische Textilien. Der stärkste Impuls kam von den gemalten Kanō-Schirmen mit ihren kühnen Flächen von Gold und Farbe und den kräftigen Linien der Malerei. Tatsächlich scheinen die Musterzeichner auf malerische Wirkungen abgezielt zu haben.

Wie bei den Schirmen ist man unmittelbar von dem Gewagten und Unkonventionellen in allen diesen Mustern beeindruckt. Das Genie der Japaner liegt in ihrer Fähigkeit, das zur Harmonie zu bringen, was zunächst unerträgliche Muster oder Farben zu sein scheinen. Ein Gewand, vertikal in zwei Teile geteilt, würde im Westen einem Clown anstehen. In Japan ist es ein Meisterwerk, überwältigend in seiner Pracht, Würde und Originalität. Es ist eine Kunst der Kontraste: bunt und einfarbig, reicher und sparsamer Dekor, glänzend und matt, hell und dunkel, zart und gewagt, geometrische Muster und Naturformen, einfach und kompliziert. *Kunst der Kontraste*

Das Gewand auf Abb. 45 gehörte Tokugawa Ieyasu, denn es zeigt sein *mon* oder »Wappen« auf den Schultern; er hatte es einer Truppe von Nō-Schauspielern geschenkt. Die Farben und Muster sind eine ungewöhnliche Kombination von geometrischen und Naturformen, und ihre Asymmetrie, zusammen mit der Kostbarkeit des Materials selbst, dürfte im Licht der Bühne eine blendende Wirkung gehabt haben. Man muß daran erinnern, daß bei japanischen Theateraufführungen alles kräftig und eindrucksvoll ist; so benötigten die Schauspieler Gewänder, die sich dafür eigneten. Die Färbetechniken erreichten ein hohes Niveau. Eine ganz besondere Technik, die *tsuji-ga-hana*-Methode, sei erwähnt, wobei das Tuch vor dem Färben entsprechend zusammengebunden oder genäht ABB. 45

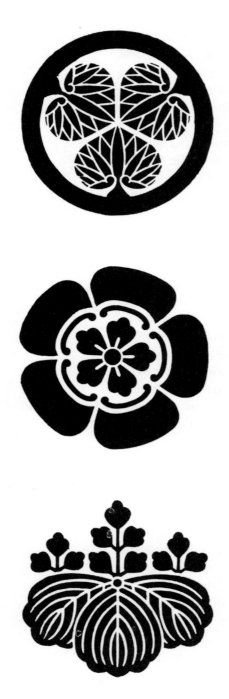

wurde und die Umrisse der Muster dann mit Tusche nachgezogen wurden. Die Familienwappen (siehe Fig. 55–57) waren an sich schon äußerst dekorativ und wurden von dieser Zeit an sehr wirkungsvoll als Dekormotiv benutzt. Selbst wenn sie auf kühne Weise als einzige Schmuckform benutzt wurden, sind sie ein höchst befriedigender Dekor. Von der Momoyama-Periode an wurden auch die Textilien als wirkliche Kunst angesehen, denn bedeutende Künstler beschäftigten sich mit dem Entwerfen von Gewändern. Jedes Gewand war eine originale Schöpfung eines Künstlers und nicht eine oft wiederholte Arbeit eines Handwerkers. Die Ausgewogenheit der Formen und Farben wirkt auf westliche Augen sehr modern. Ein Gewand wie dieses ist ein Ausstellungsstück, das seinen Träger aus der eintönigen Welt der Wirklichkeit herausheben soll. Wenn dem Wandschirmmaler erlaubt wurde, die »Lilie zu vergolden«, um wieviel eher durfte der Schneider in seinem Wunsch, die menschliche Gestalt zu schmücken, bestärkt werden. Diese Gewänder zeigen nicht den zurückhaltenden Geschmack, den wir mit dem Japan unserer Vorstellung verbinden, sondern das Extrem in anderer Richtung, das man dem japanischen Geist zugestehen muß: einen heftigen Ausbruch nach strenger Zurückhaltung.

Mit der Momoyama-Periode fangen die japanischen Keramiken an, für eine ernsthafte Betrachtung interessant zu werden. Sie unter-

Fig. 55 bis 57 – Mon (»Familienwappen«) von Nobunaga, Hideyoshi und Ieyasu. Vgl. oben

scheiden sich völlig von den vorzüglichen, technisch vollkommenen chinesischen Waren und müssen auf einer anderen Ebene betrachtet werden. Sie stehen viel eher dem Kunsthandwerk der modernen Keramiker nahe, mit denen wir im Westen vertraut sind. In der Tat haben zahlreiche moderne westliche Keramiker sehr viel von ihnen gelernt. Zusammen mit den chinesischen Sung-Waren liefern sie die Hauptanregung für die modernen westlichen Keramiken. Die Beliebtheit der Teezeremonie schuf einen großen Markt für die handwerklichen Keramiker, die sich rasch zu individuellen Meistern entwickelten, deren Originalität und Ausdruck ihrer Persönlichkeit in Ton bewundert wurden; Picasso bietet in einer bestimmten Periode seines Lebens eine deutliche Parallele. Durch das Bemühen um persönlichen Ausdruck unterscheiden sie sich von den Tausenden von anspruchslosen, namenlosen chinesischen Handwerkern, die in großen Fabriken mit erstaunlicher technischer Präzision arbeiteten.

Keramik

Eines der wenigen Ergebnisse der Feldzüge Hideyoshis in Korea war, daß er koreanische Töpfer als Gefangene mitbrachte, die sich in Japan niederließen und ihr Gewerbe betrieben. Besonders stark war ihr Einfluß auf der südlichen Insel Kyūshū, wo seit etwa 1600 bis zum 19. Jahrhundert in fast 300 Brennöfen Karatsu-Ware hergestellt wurde. Diese Keramiken waren kräftig und mehr für den alltäglichen Gebrauch als für die Teezeremonie gedacht, aber auf diese Alltagsgeräte malten die Töpfer häufig einen sehr freien und kräftigen Dekor in Eisenoxid, was an die Tz'u-chou-Waren aus dem China der Sung-Zeit erinnert.

Koreanische Töpfer

Karatsu-Ware
ABB. 47

Die Keramiken im koreanischen Stil der koreanischen Yi-Dynastie (1392–1910) beeinflußten die alten Seto-Öfen, die im späten 16. Jahrhundert zeitweilig in die nahegelegene Provinz Mino verlegt wurden. Hier stellten sie Gelbe Seto-, Shino- und Oribe-Waren her. Die ersteren hatten über einem eingeritzten Dekor in Braun oder Grün eine gelbe, opake Glasur. Shino-Waren haben für gewöhnlich eine dicke weiße Glasur über einem braunen Dekor, und ein besonders reizvolles graues Shino hat einen weißen Scherben unter seiner braunen Glasur mit eingeritztem Dekor, der den weißen Scherben sichtbar macht, danach ist das Ganze mit weißer

Seto-, Shino-, Oribe-Waren

Glasur überzogen worden. Der Dekor hat bei beiden Typen eine individuelle Freiheit, die an die kühnen Dekorformen der Tz'u-chou-Typen aus der Sung-Zeit erinnert.

Ein sehr individueller Typus ist die Oribe-Ware, so genannt nach einem Teemeister des späten 16. Jahrhunderts namens Furuta Oribe. Im grünen Oribe-Typus herrscht eine tiefgrüne Glasur vor, und der Dekor besteht häufig aus stilisierten Landschaften, dargestellt mit geometrischen Formen. Einige haben sogar christliche Motive in ihrem Dekor.

Raku-Ware
ABB. 46
Die vielleicht bekanntesten Keramiken sind die Raku-Waren (siehe Abb. 46) von einem Ofen, der von einem der berühmtesten Meister der Geschichte der japanischen Keramik von Chōjiro (1515–1592) gegründet worden sein soll. Er wurde von dem berühmtesten der frühen Teemeister, Sen-no-Rikyū, angeleitet. Das Wort *raku* oder »Vergnügen« kommt her von einem Siegel mit diesem Schriftzeichen, das Hideyoshi dem Sohn Chōjiros, Tōkei, geschenkt haben soll. Das Siegel wurde zur Signatur der Stücke benutzt, und Variationen dieses Siegels sind von 14 Generationen von Raku-Waren-Töpfern bis zum heutigen Tag benutzt worden. Diese Raku-Keramiken, meist einfache Teeschalen, sind schwach gebrannt, stehen auf einem kleinen Fuß und haben eine schwarze, lachsfarbene oder weiße Glasur. Gelegentlich wird mit diesen Farben ein einfacher Dekor angebracht.

Teezeremonie
Der Reiz dieser Schalen mit ihren unregelmäßigen Formen und rauhen Glasuren ist schwer zu erklären. Sie sind die Essenz der Teezeremonie. Ihre Formen schmiegen sich in die Hand und vermitteln die Kraft und Persönlichkeit ihres Schöpfers. Sie scheinen ihr eigenes Leben zu haben. Der grüne Tee auf dem Grund der Schalen läßt, wenn man ihn trinkt, die Farben lebhaft hervortreten. Sie sind einfach und doch höchst verfeinert, und haben die Fähigkeit, mit allem, was auch immer sonst bei der Zeremonie benutzt wird, zu harmonieren – einem Stück kostbaren Brokats oder einem eisernen Kessel, einem Bambus-Teeschläger oder einem Stück *tatami*-Matte. Sie sehen derb aus, und doch täuscht dieser Eindruck. Vor allem haben die Teezeremonie-Waren eine plastische Qualität. Viel Unsinn ist über japanische Teezeremonie-Keramik gesagt und

geschrieben worden, und es gibt einen Kult mit den antiken und häßlichen Keramiken, der manchmal für die Feinheit solcher Stücke blind macht. Aber um die Teezeremonie und den Geschmack, den sie entwickelte, würdigen zu können, muß man die Raku-Ware verstehen.

IX. DIE TOKUGAWA-PERIODE
1615–1868

Die kurze Momoyama-Periode war ein Vorspiel zu der auf sie folgenden langen Tokugawa-Periode, und in mancher Hinsicht ist es angemessen, die beiden Zeitabschnitte zusammen zu betrachten. Als Tokugawa Ieyasu 1616 starb, waren die Fundamente für eine fast zweieinhalb Jahrhunderte während glückliche Friedenszeit gelegt. Nach der Schlacht von Sekigahara im Jahre 1600 wurden die Pläne der Tokugawa deutlich erkennbar. Die neuen Herrscher waren entschlossen, ihre militärische Macht bis zu einer absoluten, unanfechtbaren Höhe zu steigern. Dazu war notwendig, daß die mächtigsten Adligen ihres Reichtums beraubt wurden; und damit waren die Tokugawa so erfolgreich, daß sie sehr bald ein Viertel des Nationalvermögens unter ihre Kontrolle brachten. Dieses Anwachsen ihres persönlichen Reichtums wurde durch die Entwicklung der Volkswirtschaft begünstigt, die durch die friedliche Zeit einen Aufschwung nahm und auf nationaler Ebene kontrolliert wurde. 1601 begannen die Tokugawa Gold- und Silbermünzen zu prägen, die ihre Schatztruhen noch mehr füllten, wenngleich später deutlich wurde, daß sie die Probleme und die Gefahren einer modernen Geldwirtschaft nicht richtig verstanden. Die Handelszentren standen fest unter der Aufsicht von Tokugawa-Beamten, und trotz der Habgier mancher dieser Beauftragten war der erzielte Reingewinn außerordentlich. Sie förderten in den frühen Jahren

ABB. 46 – Teeschale, Raku-Ware. 16.–17. Jahrhundert. *Vgl. Seite 178*

ABB. 47 – Krug, Karatsu-Ware. Bemalt. Frühes 17. Jahrhundert. *Vgl. Seite 177*

ABB. 48 – Sekiya (»Grenzstation«), Schirm (Pendant des Miotsukushi-Schirms). Farbe auf Goldgrund (Papier). Werk des Tawaraya Sōtatsu, tätig zwischen ca. 1596 und 1623. *157 × 263 cm. Seikadō-Stiftung, Tōkyō. Vgl. Seite 189*

auch den Handel mit dem Ausland, bis sie in den Missionaren eine potentielle militärische Bedrohung glaubten sehen zu müssen.

Ein wichtiger Bestandteil des Tokugawa-Planes war, jede mögliche innere Bedrohung – ob sie nun vom Thron, Feudaladel, von den Bauern, Handwerkern oder Kaufleuten kam – zunichte zu machen. In den berühmten dreizehn »Regeln für Militärfamilien« von 1615 verlangten sie von den *daimyō* unbedingten Gehorsam und priesen die Sparsamkeit. Diese Regeln, die den Akzent auf das Studium der Literatur und die Ausübung der Kriegskünste, auf Gehorsam und Opfer legten, erinnern an chinesische konfuzianische Philosophie. Nach der Schlacht von Ōsaka 1615, in der die Anhänger der Nachkommen Hideyoshis vernichtet wurden, wurde der Prozeß der Nivellierung der mächtigsten Adligen beschleunigt. Die Lehen *Neuverteilung der Lehen* wurden nach strategischen Gesichtspunkten neu verteilt. Einige der strategisch wichtigen Gebiete wurden unter die Kontrolle der verläßlichsten Familien der Erblehnsherren gestellt, während die anderen Gebiete unter die »Äußeren Adligen« (d. h. die Adligen, die sich den Tokugawa nicht sogleich angeschlossen hatten und weniger verläßlich waren) so verteilt wurden, daß sie ungefährlich waren. Alle Adligen wurden ständig überwacht, und ein System wurde entwickelt, das sie nötigte, persönlich in der neuen Hauptstadt Edo (dem heutigen Tōkyō) anwesend zu sein oder Geiseln dort zu lassen.

Allein schon die dadurch verursachten Ausgaben nahmen ihnen die Möglichkeit sich aufzulehnen. Die Zahl ihrer festen Schlösser wurde verringert und das Bauen streng kontrolliert. Die Verbindungswege wurden verbessert und scharf überwacht. Der Thron wurde noch weiter in seiner Macht beschränkt, wurde aber gleichzeitig wirtschaftlich unterstützt. Ihm blieben lediglich zeremonielle

ABB. 49 – Rote und weiße Pflaumenbäume, Schirm-Paar, Detail. Farbe auf Goldgrund (Papier). Werk des Ogata Kōrin (1658–1716). *Jeder Schirm 166 × 172 cm. Atami-Museum, Shizuoka. Vgl. Seite 192*

ABB. 50 – Landschaft, Schiebetür. Tusche auf Papier (?). Werk des Yosa Buson (1716–1783). *Museum für Ostasiatische Kunst, Köln. Vgl. Seite 197*

Funktionen, und interessanterweise war er dennoch fähig, 250 Jahre der Demütigung zu überdauern, um sich 1868 wieder zu erheben.

Die Stellung der Hofadligen war nun niedriger als die der kleinsten Lehnsadligen. Neben einer äußerst tüchtigen Armee umgaben sich die Tokugawa mit fähigen, wenngleich manchmal habgierigen Verwaltungsbeamten. Ieyasu stand persönlich in hohem Ansehen. Er trat rücksichtslos und grausam auf, aber um in seinem Zeitalter sich durchzusetzen, mußte er notwendigerweise so handeln. Sowohl militärisch als auch politisch war er ein guter Taktiker, bereit auf lange Sicht zu planen und zielbewußt auf die Vollendung seiner Absichten hinzuarbeiten. Er selbst lebte streng nach konfuzianischem Kodex und war sparsam bis zum Geiz. Auf dem Werk von Nobunaga und Hideyoshi aufbauend, konnte er mit Willensstärke und gesunder Urteilskraft die Fortdauer seines Geschlechtes sichern. Ein Bewunderer Yoritomos und ein Mann von starkem persönlichen Mut, hatte er einen kalten und unbarmherzigen Charakterzug, was ihn nicht gerade zu den liebenswerten Figuren der japanischen Geschichte macht.

Rōnin   Eines seiner größten Probleme war die große Anzahl der unbeschäftigten *samurai*, die nun, da der Frieden gefestigt war, ohne Aufgabe waren. Die *rōnin* oder »Wogen-Männer«, wie man sie nannte, die auf eine halbe Million geschätzt wurden, waren häufig zu nichts zu gebrauchen und bildeten eine ständige Quelle sozialer und politischer Unruhen. Den meisten von ihnen wurde die Gelegenheit, ihre zum Beispiel in der Verwaltung erworbenen Fähigkeiten anzuwenden, verwehrt, und so bildeten sie Zentren potentieller Subversion.

Bauern   Die Bauern hatten wie gewöhnlich schwere Lasten zu tragen; statt aber in weniger bevölkerte Gebiete abzuwandern, vermehrten sie nun die Bevölkerung der geschäftigen, zum Brechen vollen Hauptstadt und anderer größerer Städte. Sie nahmen mit den Kaufleuten an der Entwicklung zu neuem Reichtum teil und dienten den Adelsfamilien, die gezwungen waren, unter ständiger Überwachung in Edo zu leben. Besonders die Kaufleute kamen zu Reichtum und sollten sich schließlich zur mächtigsten Klasse entwickeln. Edo wuchs schnell. Andere Städte entwickelten sich ebenfalls, indem sie als wirtschaftliche Zentren dienten. Allmählich zer-bröckelten unter dem Anprall des neuen Reichtums die Klassen-unterschiede.

Zu Beginn der Periode schien die Zeit für eine rasche Expansion des Außenhandels günstig; aber bald begannen die Tokugawa-Regenten den Einfluß der fremden Missionare zu fürchten. Sie waren *Missionare* über das Vorgehen der Missionare in China und auf den Philippinen gut informiert, und sie empfanden, ähnlich wie die chinesischen Kaiser des 18. Jahrhunderts, einen Widerwillen gegen den Zank zwischen den Jesuiten und den Franziskanern. Außerdem stellte die Möglichkeit, daß sich unzufriedene Lehnsherren mit ausländischen Mächten verbündeten, eine augenscheinliche Bedrohung dar. Den Verfügungen gegen die Christen aus den Jahren 1611–1614 folgten noch drastischere Dekrete in den Jahren 1633, 1634 und 1639, besonders nach dem Aufstand von Shimabara *Aufstand von Shimabara* 1637–1638, der von unklaren christlichen Idealen inspiriert schien. Dabei entkamen von rund 37000 einfachen Leuten, die die wirtschaftliche Not zur Revolte getrieben hatte, nur etwa 100 dem Zorn der Tokugawa. Das Christentum wurde nun streng verboten, *Verbot des Christentums* und die Isolationsgesetze wurden verschärft. Die Japaner, die das *Verschärfung* Land zu verlassen oder nach einem Aufenthalt außerhalb des *der Isolationsgesetze* Inselreiches von mehr als fünf Jahren zurückzukehren versuchten, erwartete sofortige Hinrichtung. Nur einigen wenigen Chinesen und einer Handvoll Holländern wurde von 1641 an erlaubt, in der sehr eng begrenzten Niederlassung auf der Insel Deshima vor Nagasaki zu leben. Die Tokugawa meinten, daß es gefahrlos wäre, sie dort wohnen zu lassen, damit sie ihre medizinischen Kenntnisse weitergäben, die sie für harmlos hielten. Den Christen erging es schlimm, und das Märtyrertum der japanischen Gläubigen ist eines der düstersten Kapitel in der Geschichte religiöser Verfolgungen – und das geschah in einem Volk, das bis dahin außerordentlich tolerant in religiösen Dingen gewesen war.

In dieser Atmosphäre der Abgeschlossenheit lebte Japan wie in *Atmosphäre* einem Treibhaus, seine Kultur erschien überreizt, und es fehlte der *der Abgeschlossenheit* Austausch mit der Außenwelt. Der Wohlstand und die Energie eines kraftvollen, sich entwickelnden Volkes wurden an Genuß und eine prächtige Lebensführung gewendet. Den Japanern waren intellektuelle Entdeckungen versagt, mit denen sich der Westen vom 17. Jahrhundert an beschäftigte, und ihre Anstrengungen scheinen sich fieberhaft auf Vergnügen und die Künste gerichtet zu haben. Der neue Kaufmannsstand nahm an Macht und Reichtum zu. Selbst die Wirtschaftskrisen und die Geldabwertung scheinen ihn noch reicher gemacht zu haben. Damit setzte sich ein Entwicklungsprozeß fort, der in der Ashikaga-Periode begonnen hatte, und schließlich wurden die Kaufleute die entscheidenden Persönlichkeiten in Fragen des Geschmacks, die Gönner der äußerst regen Kunsttätigkeit und die eigentlich Mächtigen. Die Tokugawa machten energische Anstrengungen, dem Zurschautragen dieses Reichtums Einhalt zu gebieten, aber in Wirklichkeit waren sie machtlos und konnten nicht verhindern, daß es auf die eine oder andere

Edo Weise doch geschah. Edo vor allem wurde zu einer Großstadt, wo man rasch ein Vermögen machen und es wieder ausgeben konnte. Die Handwerker der Stadt wurden wegen ihrer Unbekümmertheit und verschwenderischen Sitten berüchtigt, wobei die allgemeine Atmosphäre ihrem Geschmack noch Vorschub leistete. Die in Scharen zum Vergnügen in die Stadt kommenden Reisenden brachten den Ladenbesitzern und denen, die in ihren Diensten standen, neue Reichtümer. Edo erwarb bald den Ruf, eine ungestüme, lärmende und zügellose Stadt des Vergnügens zu sein.

In der Kunst wurden die Tendenzen der Momoyama-Periode zu Ende geführt. Die Blüte einer spezifischen Schule der dekorativen

Sōtatsu Malerei in der Edo-Periode geht auf den genialen Sōtatsu zurück.
Kōetsu Sein Vorgänger, der Schreibmeister Kōetsu (1558–1632), eine Autorität auf dem Gebiet des Geschmacks, hatte eine Künstlergemeinschaft in Takagamine in den Außenbezirken von Kyōto gegründet, die als Kunstzentrum ungewöhnlich modernen Zuschnitts diente, wo Handwerker und Maler sich gegenseitig anregen konnten. Hier verkehrte Sōtatsu mit Männern von Talent und Geschmack. Gelegentlich schrieb Kōetsu die Aufschriften für die Gemälde des Sōtatsu, eine Gepflogenheit, die sowohl in China als auch in Japan üblich war.

Wir wissen wenig vom Leben des Sōtatsu. Er dürfte aus einer

Familie von Textilhändlern oder Fächerherstellern stammen und war von etwa 1596–1623 tätig. Sein Stil kommt von den dekorativen Gemälden der Tosa-Schule her, auf denen Geschichten aus Literatur und Geschichte dargestellt sind. Sōtatsu ließ sich durch dieselbe Quelle inspirieren, doch war sie nur Ausgangspunkt für eine eigenständige dekorative Darstellung. Das Wesen seines Stils ist die kühne Verwendung von kraftvollen Farbflächen – wobei er auch Tusche als Farbe benutzte – in scheinbar einfachen Kompositionen von einem wehmütigen Zauber und sicherer Raumwirkung. Sein Werk stellt in gedrängter Form eine bestimmte Seite des japanischen Geschmacks dar. Das bedeutet, daß der Rhythmus sorgsam unter Kontrolle gehalten wird, die Lebhaftigkeit der Ausführung und die Empfindung der Konzeption ausbalanciert und die Farbe unaufdringlich benutzt werden muß, um eine Stimmung zu schaffen. Variationen eines Themas werden wie in einem Spiel ausgearbeitet, oft indem man ihnen die Wirkung eines Tableaus verleiht, das vor einem kräftig farbigen Hintergrund aufgebaut ist, der mit einem riesigen Pinsel angelegt ist.

Eines seiner bekanntesten Werke ist der Sekiya-Schirm, der einen ABB. 48 Augenblick aus dem unverwüstlichen Roman vom Prinzen Genji, von der Dame Murasaki um das Jahr 1000 verfaßt, darstellt. Einer Passage im Roman zufolge, war Prinz Genji früh in seiner Laufbahn der Dame Utsusemi begegnet, aber ihre Liebesabenteuer standen unter keinem günstigen Stern. Sie heiratete später einen Provinzgouverneur und siedelte in eine ferne Provinz über. In dieser Szene brachte der Gouverneur Utsusemi nach einem Besuch Kyōtos zurück in diese Provinz, und der Weg führte über den berühmten Ōsaka-Grenzpaß. Genji, jetzt aus dem Exil zurückgekehrt, wohnte zufällig einer Zeremonie in dem nahegelegenen Ishiyama-Schrein bei, und als er erkannte, wer in dem Wagen saß, sagte er scherzhaft zu dem Bruder Utsusemis, daß er nicht häufig soviel Aufmerksamkeit zeigte und sogar bis an die Grenze reiste, um jemanden zu treffen. Als Utsusemi dies hörte, war sie von den alten Erinnerungen tief angerührt. Die Komposition ist auf ihr wesentliches beschränkt, die Farben sind einfach und die Diagonalen ausgewogen. Der Hintergrund ist sorgsam aufgebaut, wie die Ausstattung zu einem

Bühnenstück, um Zeit und Ort anzudeuten und eine Atmosphäre zu schaffen. Auf besonders wirksame Weise wird alle Aufmerksamkeit auf den geschlossenen Wagen konzentriert, in dem eine unsichtbare Dame sitzt, womöglich herzklopfend und nicht wagend, ihren früheren Liebhaber anzusehen, der draußen eine galante, halbernste Komödie spielt. Man spürt, daß die wenigen Gefolgsleute die Situation begreifen und durch die Verwirrung dieser unerwarteten Begegnung etwas beunruhigt sind. Allein der Ochse hat in diesem Tableau eine Spur von Bewegung und drängt vorwärts, als ob er Genji bedrohe; ein Element der Kraft und Aktion zwischen beiden statischen Elementen, dem Wagen und dem Prinzen. Sehr geistreich hat Sōtatsu das Tier zum verbindenden Glied zwischen beiden gemacht, indem er damit gleichzeitig das dynamische Element liefert, das diese Komposition erfordert. In dieser einen dekorativen Szene sind viele Elemente japanischen Geschmacks und japanischer Empfindung vereinigt. Sie ist ebenso der Konvention unterworfen wie vieles im japanischen Leben und ebenso zurückhaltend, wie es die gesellschaftliche Sitte erfordert. Sehr bedeutsam ist die Grenze auf dem Paß; sie symbolisiert die Hindernisse, die zwischen den beiden früheren Liebenden aufgerichtet sind und deutet sinnreich die Gefahren an, die ihr Überschreiten einschließt. Man mußte freilich die Literatur kennen, um ein solches Bild voll zu genießen. Um manches der japanischen Kunst verstehen zu können, muß man das Understatement und die Zartheit der Andeutung, die Zurückhaltung und die Förmlichkeit zu würdigen wissen, die die menschlichen Beziehungen umgeben.

Die dekorativen Tendenzen der Edo-Periode, von Sōtatsu und seiner Schule angeregt, trugen 50 Jahre später ihre Früchte und sind in der Kunst der Zeit von 1680–1730/40 vereinigt, die allgemein unter dem Namen der Genroku-Ära (1688–1703) bekannt ist. *Genroku-Ära* In diesen Jahren arbeitete eine Anzahl hervorragender Künstler auf verschiedenen Gebieten. Sie lebten in einer Atmosphäre des Reichtums, die ihre Tätigkeit unterstützte und ihnen visuellen Genuß verschaffte. Auch die Holzschnittkünstler Moronobu und Kiyonobu – ich komme noch auf sie zurück – arbeiteten zu dieser Zeit. In der Keramik wirkten Ninsei und Kenzan, und die herrliche

Technik der *yūzen*-Textildrucke erreichte ihre höchste Vollendung. Ohne Zweifel war Ogata Kōrin (1658–1716) der bedeutendste Meister dieser Zeit. Er wurde 1658 als Sohn einer Familie geboren, die einen Textilladen unterhielt, wodurch er einige Vertrautheit mit dem Muster bekam. Seine Familie war vermögend und hatte durch ihr Gewerbe gute Verbindungen zum Adel und zur herrschenden Klasse sowie durch Heirat zu der Familie der Hon'ami, aus der wir Sōtatsu und Kōetsu erwähnt haben. Sie belieferten Angehörige des Tokugawa-Shōgunats mit Gewändern und waren wohlhabend genug, um sich zur Kaufmannsklasse zählen zu können, die durch Geldverleih an verarmte *daimyō* in der Gesellschaft an Ansehen gewann. Der Vater Kōrins und seines Bruders Kenzan, des Töpfers, hatte das Kleidergeschäft der Familie, Karigane-ya, geerbt und war selbst Schreibmeister und Maler; in seinem Stil verband er die Stile der Kanō- und der Tosa-Schule miteinander. Er war ein Theaterliebhaber und augenscheinlich mehr an den Künsten als am Geschäft interessiert. Er gab Kōrin reichlich Geld, damit er ein Leben in Vergnügen leben und sich den Künsten und Geselligkeiten hingeben konnte. Dies und die angehäuften Schulden des Geschäfts brachten Kōrin in finanzielle Schwierigkeiten, so daß er etwa um 1696 gezwungen war, als Musterentwerfer für *kimono* zu arbeiten, während Kenzan, der sich in gleichen Schwierigkeiten befand, einen Brennofen baute und eine Keramikmanufaktur eröffnete, da er unter Ninsei die Töpferei erlernt hatte. Kōrin zeichnete die Muster für viele seiner Erzeugnisse (siehe Fig. 61). So zwangen finanzielle Schwierigkeiten die beiden begabten Brüder zu einer künstlerischen Laufbahn. Kōrin arbeitete meist in Kyōto, aber eine Zeitlang (1704-1709) versuchte er sein Glück in Edo. Jedoch war er nicht glücklich dort und kehrte nach Kyōto zurück, wo er sein Leben arm, aber sehr tätig beendete.

Den größten Einfluß auf Kōrins künstlerische Entwicklung übte zweifellos das Werk des Sōtatsu aus, dessen Kompositionen er oft nachempfand. Er hatte die verschiedenen anderen Schulen studiert – die Kanō-Schule, das Genre-Werk des Itchō (1652–1724) und auch die Vorläufer der Farbholzschnitte. In den Arbeiten dieses vielseitigen Talentes sind so Stilelemente aus allen diesen

FIG. 61

ABB. 49

Strömungen zu finden. Aber die meisten Kritiker bezeichnen das berühmte Schirmpaar »Rote und weiße Pflaumenbäume« von Abb. 49 im Atami-Museum als ein Meisterwerk und als repräsentativ für seinen reifen Stil. In dieser kühnen Kombination von Kunst und Natur entsprießen vor einem herrlichen Goldhintergrund knorrigen Bäumen zarte Frühlingsblüten. Ein breiter, in rhythmischen Kurven dahinfließender Fluß ist auf eine feste Fläche dunkler Farbe in der Mitte der Komposition gemalt und beherrscht sie in einer Weise, die – wie manche Japaner empfinden – fast unheimlich ist. Viel von der Kraft der Komposition liegt in den Beziehungen zwischen den relativ naturalistischen Bäumen und dem flachen, fast senkrechten unnaturalistischen Fluß. Die Darstellung der Bäume selbst ist eindrucksvoll dem Fluß gegenübergestellt, und im Unterschied zu vielen anderen dekorativen Arbeiten entsteht hier eine innere Spannung, die dem Bild Kraft und Intensität verleiht. Es ist reine Dekoration insofern, als es sich nicht auf die symbolische Bedeutung der Pflaumenbäume für die Frühlingszeit bezieht, es erfordert keine Kenntnis der Literatur, sondern nur die Hingabe an die reiche visuelle Wirkung der Zeichnung und Farbe.

Trotz der aktiven neuen Strömung rein japanischer Kunst in der Tokugawa-Periode und trotz der Anstrengungen der neuen Herrscher, fremde Einflüsse auszuschließen, übten chinesische Künstler weiterhin ihren Einfluß aus. Der zu dieser Zeit verbreitete Typus chinesischer Malerei ist in China als *wen-jen*-Malerei, Gelehrten-Malerei, oder Malerei gebildeter Männer bekannt, von denen man annahm, daß sie die Malerei als Freizeitbeschäftigung betrieben;

ABB. 51 – Die Annehmlichkeiten des Fischens, Albumblatt. Tusche und leichte Farben auf Papier. Werk des Ike-no-Taiga (1723–1776). *17,8 × 17,8 cm. Sammlung Y. Kawabata, Kamakura. Vgl. Seite 198*

ABB. 52, 54 – Kiefern im Schnee. Tusche, Farben und Goldstaub auf Papier. Werk des Maruyama Ōkyo (1733–1795). *Jeder Schirm 155 × 335 cm. Sammlung T. Mitsui, Tōkyō. Vgl. Seite 200*

ABB. 53 – Herbstlandschaft, Albumblatt. Werk des Gyokudō (1745–1820). *28,9 × 22,2 cm. Sammlung Umezawa, Tōkyō. Vgl. Seite 199*

釣便

不簑不笠不乘舠
日坐桌軒學釣鱉
客歚相過
常載酒徐役香餌
出輕艛

52

53

auf diese Weise konnten sie ihre erhabensten geistigen Anliegen ausdrücken. Diese Tradition der Amateurmalerei war in China außerordentlich alt und in der späten T'ang-Zeit um das 8.–9. Jahrhundert entstanden. In Japan wurde dieser Stil mit der japanischen Lesung der Schriftzeichen *wen-jen* als *bun-jin*-Malerei bezeichnet. In China vermischte er sich dann mit dem, was man die »Südliche Malerei« nannte, jenen Malstil, den Künstler entwickelten, die in der dunstigen Atmosphäre Südchinas lebten und deren Stil von Abbreviaturen bestimmt war. Im 17.–18. Jahrhundert hatten sich diese Tendenzen zu zwei Hauptströmungen vereinigt. Die erste war die Richtung der mehr konservativen Gelehrten, die in einem auf den großen Meistern der Vergangenheit, besonders der Ming-Dynastie, basierenden, peinlich genauen Stil malten. Ihre Bilder, oft weite Landschaften, die die ganze Bildfläche füllen, beschreiben genau jede Einzelheit und stecken voller literarischer Anspielungen. Die zweite Strömung bildete die Gruppe der Individualisten, die, obwohl sie sich auf ein gleiches Erbe beriefen, versuchten, sich von der schweren Last der Tradition zu befreien, um etwas völlig Neues innerhalb der Tradition hervorzurufen. Beide Richtungen kamen nach Japan und wurden von japanischen Malern mit Begeisterung aufgenommen.

Bun-jin-Malerei

Die *bun-jin*-Richtung setzte in Japan um 1700 ein und war etwa ein halbes Jahrhundert später fest etabliert. Ihre ersten großen Exponenten waren Yosa Buson (1716–1783) und Ikeno Taiga (1723 bis 1776). Buson ist im gleichen Maße als Dichter bekannt, und in der Tat gab er die Malerei auf, um sich in seinen letzten Jahren in Kyōto ganz der Literatur zu widmen. Abb. 50 ist eine auf eine Schiebetür gemalte Landschaft und zeigt in Felsen und Bäumen starke Züge der chinesischen Pinselführung aus der Sung- und Ming-Dynastie, verbunden mit der typisch südlichen Nebelstimmung und einem engen Verhältnis zur Natur. Jedoch die gesamte

Yosa Buson
Ikeno Taiga

ABB. 50

ABB. 55 – Schwertstichblätter und Netsuke. *Ashmolean-Museum, Oxford. Vgl. Seite 219*

ABB. 56 – Liebende auf der Veranda. Holzblockdruck im *chūban*-Format. Werk des Harunobu (1725–1770), ca. 1766–1767. *National-Museum, Tōkyō. Vgl. Seite 208*

Arbeit ist von der nervösen Kraft des japanischen Pinsels erfüllt. Wie häufig in japanischer Malerei dieser Zeit liegt in diesem Bild etwas Eklektisches, nämlich in der Weise, wie die Elemente der verschiedenen chinesischen Quellen aus der Ming- und der Ch'ing-Dynastie übernommen werden, und eine detaillierte Untersuchung würde viele verschiedene Quellen, darunter sogar solche, die in China einander entgegengesetzt wären, herausfinden. Die Gestaltung geschieht in stärkerem Maße auf der Oberfläche als in einem chinesischen Bild, mit einer deutlichen Hinwendung zur unmittelbaren visuellen Wirkung, einer scheinbaren Abneigung, in tiefere Regionen vorzustoßen. Dadurch wirkt das Bild ein wenig synthetisch und trocken, aber trotzdem ist es – als Dekoration im chinesischen Stil – das Werk eines empfindsamen Meisters. Taiga zeigt in seinen großen und kleinen Arbeiten mehr von dem freien, impressionistischen Pinsel, wie er bei der »Südlichen Malerei« üblich

ABB. 51 ist. Abb. 51 stammt aus einem seiner bekanntesten Alben: »Die zehn Annehmlichkeiten und die zehn Freuden des Landlebens«, von denen Taiga die »Annehmlichkeiten« und Buson die »Freuden« malte, die alle durch Gedichte von Li Li-weng, einem Dichter aus der letzten chinesischen Dynastie, angeregt sind. Die hier gezeigten »Annehmlichkeiten des Fischens« sind in weichen Farben und mit kühnen heiteren Linien gemalt, die die rustikale Atmosphäre sichtbar machen. Diese Bilder verherrlichen die von allen Bindungen freie Welt der Nan-ga oder »Süd-Malerei« und sind das Ergebnis einer halbernsten Sehnsucht nach den einfachen Genüssen des Landlebens, entfernt von den Verpflichtungen einer »verfeinerten« Lebensweise. Doch ist es der Traum eines chinesischen Gelehrten, den ein japanischer Gelehrter nur nachträumt. Die Landschaften sind intimer als ihre chinesischen Gegenstücke, und die grundlegende japanische Tendenz, eine Szene zu rhythmischen Formeln zu reduzieren, wird häufig erkennbar.

Gyokudō   Eine freiere Interpretation der Landschaft und eine mehr japanische Pinselführung ist am besten in dem Werk des Gyokudō (1745 bis 1820) zu beobachten. Er begann in den Diensten eines Landadligen; doch als dieser 1798 starb, reiste Gyokudō durch ganz Japan, um sich schließlich in Kyōto niederzulassen. Sehr bekannt war er durch seine Schreibkunst und Dichtung, und außerdem war er ein vorzüglicher Musiker – in der Tat der ideale Gelehrtenbeamte, das Vorbild, nach dem er sein Leben gestaltete. Die kleine Landschaft aus einem Album in Abb. 53 ist für sein Werk typisch und geht einen Schritt über die chinesischen Individualistenmaler des 18. Jahrhunderts hinaus. Die Landschaft ist in ein kompliziertes Gewirr lockerer Linien und eiliger Farbflecken aufgelöst. Die Berge sind mit holprigen Konturen gegeben, und scheinbar zufällige rotbraune Flecken deuten das Herbstlaub an. Sein unverkennbarer Stil ist eine Verbindung von Leichtigkeit, Witz und kraftvollem Rhythmus, mit einer launenhaften, aber sensiblen Pinselführung ausgedrückt. Durch einen einfachen Gebrauch der Linien und Farben erreicht er eine Stimmung und Ungezwungenheit im Gefühl, die einen individuellen Beitrag zur fernöstlichen Landschaftsmalerei darstellt. Sehr bedeutsam ist der Beweis, den sein Werk liefert, nämlich daß die Japaner, während die Inspiration der chinesischen Individualisten im letzten Viertel des 18. Jahrhunderts erloschen zu sein scheint, in der Lage waren, ihre Experimente fortzuführen, vermutlich angetrieben von dem ständigen Verlangen der Öffentlichkeit nach Neuem, das nahezu alle Klassen der Gesellschaft beherrschte.

ABB. 53

Obgleich die Tokugawa-Herrscher von dem Wunsch besessen waren, Japan von der übrigen Welt abgeschlossen zu halten, drang doch eine beträchtliche Menge von Informationen über den Westen in die wissensdurstigen intellektuellen Kreise Japans. Der Hauptvermittler war die holländische Niederlassung in Nagasaki, wo auch einige Chinesen lebten, die einige Neuerungen der Malerei, die in dem kulturell fruchtbaren Klima von Städten wie Yangchou und Hangchou entstanden, einführen konnten. Dies ist in den Werken von Taiga und Gyokudō spürbar.

Die Japaner waren in hohem Maße von dem Naturalismus westlicher Kunst fasziniert, den sie durch Stiche in westlichen wissenschaftlichen Büchern und auf Umwegen durch chinesische Künstler kennenlernten. Naturtreue war niemals eine Tradition fernöstlicher Malerei gewesen, wohingegen vor allem die Abstraktion und Darstellung des Wesens eines Gegenstandes wichtig waren. Nun kamen für eine Zeit Elemente eines Naturalismus, der auf genauer Beobachtung der Natur beruhte, in Mode. Der führende Künstler dieser Richtung war Maruyama Ōkyo (1733–1795), der eine Reise nach Nagasaki unternahm, um die neue Kunstrichtung zu studieren. Sein berühmtestes Werk, ein Schirmpaar, noch heute im Besitz der Familie Mitsui, die den Auftrag dazu gab, zeigt Kiefern in Schnee (siehe Abb. 52, 54). Der Schnee liegt schwer auf Stämmen und Laub, so daß ein Eindruck von Stille und Last in sonnenbeglänzter Ruhe, die auf den Schneefall folgt, entsteht. Das Werk ist ein Ergebnis sorgfältiger Naturbeobachtung. Andere Werke von Ōkyo zeigen, daß er in gleichem Maße auch ein Meister der Tuschmalerei im Stil der Kanō-Schule war. Und je länger man seine Arbeiten betrachtet, desto stärker wird spürbar, daß auch er durchaus in der Tradition der japanischen Malerei steht. Der herrliche Goldgrund und die allgemeine dramatische Behandlung sichern ihm einen festen Platz in den Reihen der großen dekorativen Maler. Somit kann man in gewisser Hinsicht sagen, daß Ōkyos Werk einfach ein anderer Aspekt der Suche nach dem Eindrucksvollen ist, in einer nach Sensation trachtenden Atmosphäre. Zahllose Anekdoten erzählt man sich von der Genauigkeit der Darstellungen in den Bildern dieses Malers, aber es gibt nichts in seinem umfangreichen Werk, was wir als einen übersteigerten Naturalismus bezeichnen würden. Doch reichten seine Naturschilderungen aus, auf eine aufnahmebereite Öffentlichkeit zu wirken, die sich undeutlich der Veränderungen bewußt war, die in der Welt draußen vor sich gingen. Es ist unwahrscheinlich, daß die bloße Naturtreue die Japaner mehr interessiert haben sollte als die Chinesen.

Für fernöstliche Maler war es immer von Bedeutung, daß sie von der herrschenden Klassen begünstigt wurden. Hofmaler in China und Japan hatten eine sichere Existenz und eine ehrenvolle Stellung innerhalb der Gesellschaft. Auch die Tokugawa-Shōgune förderten Literatur und Kunst und unterstützten in der Malerei die Kanō-Schule, nicht nur durch Aufträge, sondern auch durch Schenkungen von Häusern und andere Begünstigungen. Die Kanō-Maler waren nach Rängen gegliedert, obenan standen die, die für die Shōgune arbeiteten, dann folgten die, die für die niedrigeren Adels-

Maruyama Ōkyo

ABB. 52, 54

Kanō-Schule

Fig. 58 – Liebende. Holzblockdruck. Werk des Hishikawa Moronobu, um 1682. Sammlung Hillier. Vgl. Seite 205

ränge malten, und so die Skala abwärts. Die Provinzadligen, schnell bereit, es ihren Herren in Edo nachzutun, versorgten viele andere Maler mit weiterer Arbeit. Die Maler in dieser Schule waren außerordentlich zahlreich, und häufig zeigt ihre Arbeit jene Art von Monotonie, die aus einem leichten Leben resultiert und aus dem Bedürfnis, nur festgelegten Formeln zu folgen. Freilich wurden sie nicht durch die von der Zeit abgenutzten Themen, die die Tokugawa-Herrscher bevorzugten, gestützt, jene konfuzianischen moralisierenden Szenen, die der herrschenden Klassen im Japan des 17. Jahrhunderts verhältnismäßig wenig bedeuteten und ganz und gar nichts der allgemeinen Öffentlichkeit. In chinesischer Malerei wurde eine stilistische Neuerung – so die Art und Weise, Felsen oder Bäume zu malen – rasch eine anerkannte Regel, die sich über die Jahrhunderte fortsetzte. Die Kanō-Meister benutzten viele dieser alten Malstile, die den Eindruck von der Kraft des Pinsels vermitteln (eine Fähigkeit, die immer sehr bewundert wurde, aber für die Japaner von keiner großen technischen Schwierigkeit war), was jedoch mit oberflächlichen Themen verbunden war und im Künstlerischen zu Klischees führte. Daher machen diese Bilder oft den Eindruck von Unaufrichtigkeit und Pose. Es ist leicht, gegenüber der Mehrzahl der Kanō-Arbeiten dieses Typus sehr kritisch zu sein, aber wir sollten sie vielleicht nach einer anderen Norm als die echten Werke schöpferischer Kunst beurteilen. Sie stehen gewiß nicht auf dem Niveau der handelsüblichen Tapetenmuster, aber man kann sie vielleicht beurteilen wie die westlichen Chinoiserien, die Europa im 18. Jahrhundert so sehr bezauberten. Wenn diese Werke auch nichts Neues bringen, sind sie doch wenigstens schöne dekorative Arbeiten in einem großen Format, und sie reihen sich an die Werke der großen Schirmmaler an. Die japanische Pinselgewandtheit ist deutlich erkennbar. Der chinesische Pinsel ist wesentlich ein intimes Werkzeug für das kleine Format, und wenn der Maßstab erweitert wird, wie es die chinesische Hofmalerei der Ming-Dynastie auch versucht hat, meistert der Pinsel die Vergrößerung nicht.

Zwischen den Werken der Kanō-Schule und denen der letzten japanischen Kunstrichtung, die wir darstellen werden, dem japanischen Farbholzschnitt, besteht eine große Kluft.

Farbholzschnitt Es ist verständlich, daß in einem Buch dieses Umfanges die Kunst des Farbholzschnittes, einer der wichtigsten Beiträge Japans zur Weltkunst, unmöglich erschöpfend gewürdigt werden kann. Durch diese besondere Kunstform lernte der Westen zu Ende des vorigen Jahrhunderts die japanische Kunst kennen, wenngleich ihr – in einem eigenartigen Snobismus – die hochgebildeten Kreise in Japan selbst ihre Anerkennung versagen. Ein kürzlich erschienenes Buch einer hervorragenden japanischen Autorität ignoriert sie noch immer; sie hat es in großem Maße der westlichen Einschätzung zu verdanken, daß sie heute eine ehrenvolle Stellung einnimmt.

Die Ursachen für die Entstehung des Farbholzschnittes – japanisch: *ukiyo-e,* »Bilder von der fließenden (oder flüchtigen) Welt« – sind zahlreiche und verschiedene. Bereits die japanischen Maler der

Momoyama-Periode zeigten ein großes Interesse an Genreszenen, an der Tätigkeit ihrer Mitmenschen, ihrer Umgebung und vor allem an ihren Gewändern. Selbst die frühen Kamakura-Bilderrollen beschäftigten sich, wie wir sahen, mit menschlichen Situationen. Und wie ausgezeichnet waren die Textilmuster der Momoyama-Periode und der frühen Edo-Periode. Auch die Maler der Kanō-Schule, in der strengsten klassischen Malweise geübt, konnten Genreszenen nicht widerstehen, obgleich sie eine solche Arbeit niemals signierten. Schon in frühen Genrebildern, z. B. in dem Bild der Badehausmädchen, die wenig mehr waren als Prostituierte, ist zu beobachten, daß man die Bedeutung alltäglicher Gegenstände für die Malerei erkannte, wie sich auch in ihnen ein Sinn für Humor ausdrückt, Züge, die der chinesischen Haltung völlig fremd sind. Ein frischer Wind weht durch die Kunst.

Ukiyo-e war eine Kunst, die der neuen Gesellschaft Japans dienen sollte, »der prosperierenden, produzierenden und illegitimen Elite von Ladenbesitzern und Wirten auf der untersten Stufe der japanischen Gesellschaftsordnung«, denen die schwer befrachteten Bilder der Kanō-Schule im chinesischen Stil wenig bedeuteten. Diese *chōnin* oder Stadtbürger, besonders in der emporgekommenen neureichen Hauptstadt Edo, waren an konfuzianisch moralisierenden Themen sehr wenig interessiert, wohingegen die farbenfreudige Welt um sie herum eine unerschöpfliche Quelle spontaner Inspiration darstellte, die sich in einer starken Produktivität in Literatur und Kunst widerspiegelte. Nachdem das Land gegen alle Kontakte mit der Außenwelt abgeschlossen war, wollte mit der wachsenden Prosperität des Reiches und der offenen Propagierung von Luxus und bequemem Leben auch das Volk, das bereit war, sein Geld so freigebig auszugeben, unbedingt Bilder besitzen, die das alltägliche Leben wiedergaben und die Vorstellungskraft verfeinerten. Da die Bevölkerung der Städte anwuchs, begannen auch die unteren Klassen am Wohlstand teilzuhaben und verlangten nach Bildern, um ihre Häuser zu schmücken. Für sie entstand eine billige Reproduktionsmethode mittels Holzblockdrucks, die sich zu ungeheuren Ausmaßen entwickelte. Hibbet beschreibt das Wesen der *ukiyo-e*-Atmosphäre als »... eine unreflektierte Freude am Augen-

Ukiyo-e

blick, einem Augenblick, der wegen des momentanen Genusses geschätzt wird, der aber mit Urteilskraft ausgekostet werden soll«. Verwegen und respektlos, öffnete das *ukiyo-e* eine völlig neue Welt unerschöpflichen Entzückens.

Die Technik selbst war nicht neu. In der T'ang-Zeit hatten die chinesischen Buddhisten populäre ikonographische Darstellungen in Holzblockdruck hergestellt, und in der Heian-Periode wurden in Japan die Umrißlinien szenischer Darstellungen auf Fächer gedruckt, die dann handkoloriert und mit Sutren beschrieben wurden.

Chinesische Holzschnittbücher

Die Chinesen druckten im 17. Jahrhundert die berühmten Holzschnittbücher »Senfkorngarten« und »Zehn-Bambus-Halle«, ebenso wie eine Anzahl populärer erotischer Bilder in dieser Methode, und sie waren es zweifellos, die die Japaner anregten. Auch diese chinesische Erfindung entwickelten die Japaner zu einer Vollkommenheit, die sich die Chinesen nicht erträumt hätten. Sie machten sie zu der verfeinertsten, vielfältigsten Kunst, die jemals in einer Kultur für die niederen Schichten hervorgebracht wurde.

Dies war eine wohlfeile Kunstform, von allen mit wenig Geld zu erwerben. Sie spiegelte die Welt des Alltags, illustrierte die alten und neuen Geschichten, verherrlichte die Schauspieler und zeigte die Kurtisanen im besten Licht. Die wechselnde Modeparade zieht vor unserem Auge vorüber, wir werden durch die japanische Landschaft mit auf Reisen genommen, die man auf äußerst künstlerische Weise und sehr spannungsreich zu machen pflegte, wir belauschen Schickliches und Unschickliches der Liebenden, amüsieren uns über die Aristokratie, die in unmöglichen amourösen Verstrickungen überrascht wird. Japans große historische Ereignisse werden wieder zum Leben erweckt, Gedichte und Theaterspiele illustriert, von Festlichkeiten berichtet. Niemals schilderte eine Kunst die Welt ihrer Schöpfer so im Detail oder spiegelte das Vergnügungsleben und seine Untertöne von Trauer, die so typisch sind für das japanische Denken, getreuer wider. Ihre Vielfältigkeit, Komplexität und Qualität verwirrt denjenigen, der sich mit ihr befaßt.

Obgleich dies ein »Massenmedium« war, beschäftigen sich viele Talente mit seiner Herstellung, wohl so viele, wie sich heute mit der Werbegrafik beschäftigen, nur daß die Japaner ein dauerhafteres künstlerisches Ergebnis hervorbrachten. Am Anfang stand der Mann, der die Drucke in Auftrag gab, eine Art Verleger, ein Mann, der nicht nur für die Modeströmungen und den Geschmack der Öffentlichkeit empfänglich war, sondern auch in starkem Maße die Drucke, die er von seinen Künstlern entwerfen ließ, beeinflussen konnte. Die uns heute so vertrauten berühmten Holzschnittmeister machten ihre Entwürfe, die aber von Handwerkern, den geschickten Holzschneidern, wenn sie die Blöcke herstellten, zerstört wurden; und schließlich kamen die Drucker, die sie mit feinem Fingerspitzengefühl einfärbten und die verschiedenen Blöcke mit erstaunlicher Genauigkeit einpaßten. Unter den vielen Tausenden von Drucken ist der Anteil handwerklich nachlässig ausgeführter Blätter oder solcher mit geringer Einfallskraft vor 1850 bemerkenswert gering. Der Geschmack der Stadtbevölkerung unterstützte die Künstler getreulich, während der Wunsch nach Neuartigem sie zu immer eindrucksvolleren Leistungen antrieb.

Der Beginn des *ukiyo-e*-Stils wird bei einem fast legendären Künstler aus der Mitte des 17. Jahrhunderts namens Matabei (oder Matahei) *Matabei* gesucht, von dem es heißt, daß er das Kolorit der Tosa-Schule mit der kraftvollen Linie der Kanō-Schule verband und dies auf Genreszenen anwandte. Der Mann, der den Stil populär machte, war jedoch Moronobu (geboren 1618 oder 1625, gestorben *Moronobu* 1695), der mit Hilfe des Holzblockdrucks Bücher illustrierte, von denen er von 1672 an über hundert herstellte, und später auch Einzelblattdrucke schuf. Moronobus Frauengestalten sind klein und *FIG. 58* rundlich und kaum voneinander zu unterscheiden. Ihre Gewänder sind kräftig und einfach und von der Art, wie man es von dem Sohn eines Stickers erwarten durfte. Die Haltungen und die Komposition sind effektvoll, und alle grundlegenden Elemente der *ukiyo-e*-Kunst sind bereits vorhanden. Die Szenen sind einfach und zeigen ein unaffektiertes Vergnügen an der schlichten Umwelt. Bei Kaige- *Kaigetsudō* tsudō werden die etwas skizzenhaften Figuren Moronobus voll ausgeführte, kräftige weibliche Gestalten. Von da an ist die weibliche Figur eines der vorherrschenden Themen. Der Name Kaigetsudō ist ein Problem insofern, als vier Künstler mit Kaigetsudō signieren. Japanische Historiker sehen in ihnen Ando, den Begründer der

FIG. 59 Kaigetsudō-»Schule«, und seine drei Schüler Anchi, Dohan und Doshin, während einige europäische Wissenschaftler in ihnen den gleichen Meister sehen, der verschiedene Signaturen gebrauchte. Wer auch immer sie sein mögen, der Stil der verschieden signierten Blätter ist so ähnlich, daß sie als das Werk eines Meisters behandelt werden können. Ando malte von 1704–1716 Edo-Schönheiten, und – einigen Autoritäten zufolge – malte er nur und entwarf keine Drucke. Die üblichen Kaigetsudō-Drucke sind monumentale Figuren in prächtigen Gewändern, massiv konturiert und von Hand in Gelbbraun, Chamois, Gelb und Violett koloriert. Alles an diesem Druck von Fig. 59, signiert mit Kaigetsudō Anchi, hat Monumentalität, vom Maßstab der Figur bis zum Schwung des Kleides, das mit einer Dichterfigur und Fragmenten eines Gedichts in kursiven Schriftzeichen geschmückt ist.[1] Der Rhythmus ist frei, der Dekor kraftvoll, und selbst die mit einer einzigen Linie vom Haaransatz bis zum Hals gegebenen Gesichtskonturen sind kräftig. Dieser Stil der Zeichnung hat auf alle folgenden weiblichen Gestalten, an denen sich nahezu jeder Künstler versuchte, einen Einfluß: Frauen aus den Teehäusern und aus den Vergnügungsvierteln in all ihrem Staat und in jedem Augenblick ihres Lebens, berühmte Frauen aus Geschichte und Literatur, männliche Darsteller von Frauenrollen, vor allem aber die Lieblingskurtisanen der großen Stadt, an die die Vergnügungssüchtigen von Edo ihr Geld und ihre Energien verschwendeten. In besonderen Vierteln schufen die anmutigsten Prostituierten, die die Welt kannte, eine zarte, verfeinerte Atmosphäre, in der sie ihr Gewerbe ausübten mit aller nur möglichen Raffinesse und Kunstfertigkeit, in kostbare Gewänder gekleidet, von persönlichen Dienern bedient, wie Königinnen behandelt, für die kurzen Augenblicke ihrer Beliebtheit gehätschelt und gepflegt.

[1] Gunsaulus, Helen C., »The Clarence Buckingham Collection of Japanese Prints«. Art Institute of Chicago 1955

Fig. 59 – Frauengestalt, sich umwendend. Holzblockdruck. Werk des Kaigetsudō Anchi, um 1750. Art Institute of Chicago. Vgl. oben

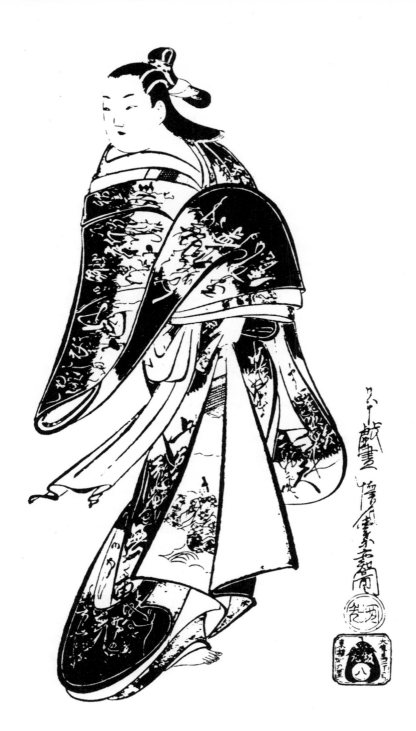

207

Es ist kein Wunder, daß dieses farbenprächtige Schauspiel die volkstümlichen Künstler anzog. Die Porträts dieser Mädchen fanden einen schnellen Absatz selbst unter solchen Leuten, die sich ihre Gesellschaft nicht leisten konnten.

Aus der Vielzahl der Holzschnittmeister, die ihren Beitrag zu dieser Kunstrichtung lieferten, können hier nur einige der größten und von diesen nur wenige repräsentative Werke betrachtet werden. Suzuki Harunobu (1725-1770) wird die Erfindung des *nishiki-e,* der »Brokat-Malerei«, bei der bis zu zehn verschiedene Farben genau und fehlerlos übereinander gedruckt wurden, zugeschrieben. Vor ihm waren nur schwarze Umrisse gedruckt worden, die dann von Hand oder später durch zweifarbige Überdrucke in Rot und Grün koloriert wurden. Harunobus Frauengestalten sind von natürlichem japanischem Körperwuchs. Er stellte sie in Szenerien, die überzeugend ihre Umgebung veranschaulichten, manchmal mit anmutigem Charme, manchmal dramatisch oder humorvoll.

Der größte Künstler der Frauendarstellungen war Kitagawa Utamaro (1753-1806), der die Holzschnittkunst in den 90er Jahren des 18. Jahrhunderts anführte. Es wird berichtet, daß er tatsächlich in Yoshiwara, dem Vergnügungsviertel von Edo, lebte, wo die beliebtesten Kurtisanen jener Zeit wohnten. Das bunte Leben dort versorgte ihn mit unerschöpflicher Anregung. Seine Frauen sind idealisierte schlanke, biegsame, fröhliche Geschöpfe, die vom wirklichen japanischen Körpertypus so weit entfernt sind wie die Creationen der Haute Couture von den wirklichen Körperformen der Durchschnittseuropäerin, die von der durchsichtigen Schlankheit eines Mannequins träumt. Es sind in der Tat Modetafeln und Porträts der »low society« par excellence. Diese Schönheiten wurden von Dandies und Roués, ihrem Publikum und ihren Kunden, umschwärmt. Utamaro erreichte seine Wirkung durch kühne, schwerelose Linien von großer Kraft und Reinheit. Nichts darf den großartigen Schwung der Gestalt beeinträchtigen. Die Gewänder sind prächtig, und das Weibliche wird nachdrücklich betont. Dennoch war er gelegentlich des endlosen Frauendefilees müde und entwarf dann schöne Drucke von Naturthemen.

ABB. 56
Nishiki-e

Kitagawa Utamaro
ABB. 58

Die meisten Kenner des japanischen Holzschnitts bevorzugen einen sehr rätselhaften Künstler, Tōshūsai Sharaku, über den wir fast nichts wissen. Die Biographien berichten lediglich, daß er ein Schauspieler gewesen sein muß, der sich der Kunst zuwandte. Während weniger Monate in den Jahren 1794 und 1795 stellte er eine Anzahl von Schauspielerporträts her, die in ihrer Charakterisierung so sarkastisch gewesen sein müssen, daß die Öffentlichkeit sie nicht akzeptieren wollte. Die Folge davon war, daß seine Verleger ihn wieder fallen lassen mußten. Abb. 57 zeigt den Schauspieler Segawa Kikunojō III. als Ō-ishizu, die er 1794 in dem Stück »Bunroku-sōga« spielte. Es ist eine Frauenrolle, die – wie üblich beim Kabuki-Theater – von Männern gespielt wurde. Das technische Geschick, mit dem männliche Schauspieler weibliche Charakterzüge annehmen, gehört zu dem Reiz der japanischen Bühne. Aber man kann verstehen, daß Sharakus Darstellungsweise für das starbegeisterte Publikum seiner Tage allzu enthüllend war. Ein Humor, ähnlich dem der frühen Masken, ist kaum zu übersehen. Obwohl diese Drucke in Sharakus Tagen unverkauft blieben, erzielen sie heute die höchsten Preise aller Holzschnitte.

Die erste Hälfte des 19. Jahrhunderts wurde von zwei großen Zeichnern, Hokusai und Hiroshige, beherrscht. Katsushika Hokusai wurde 1760 in einer Handwerkerfamilie geboren. Mit 15 Jahren arbeitete er für einen Holzschneider, und im Alter von 19 Jahren trat er in die Werkstatt des Shunshō ein, eines Zeichners, der für seine Theaterholzschnitte bekannt war. Während der nächsten 70 Jahre widmete er sich mit fanatischer Entschlossenheit der Malerei und der Holzschnittzeichnung; in seinem langen Leben schuf er mindestens 30000 Zeichnungen und Illustrationen für 500 Bücher. Er führte ein exzentrisches, rastloses Leben, veränderte seinen Namen mehr als dreißigmal und zog nicht weniger als dreiundneunzigmal um – bei einer Gelegenheit sogar zweimal an einem einzigen Tag. In diesem unglücklichen, turbulenten Leben, von allen außer seiner Tochter verlassen, war die Hingabe an die Kunst die einzige ihn aufrechterhaltende Kraft. Selbst am Ende seines Lebens war er noch fieberhaft aktiv und wünschte, noch ein paar Jahre länger zu leben, um seine Kunst zur Vollkommenheit führen zu können.

Tōshūsai Sharaku

ABB. 57

Hokusai und Hiroshige

ABB. 60

Seine reifsten Werke schuf er in den Jahren zwischen 1823 und 1845. Seine vielseitige Begabung zeigen wir an einer Landschaft, vielleicht seiner berühmtesten; denn zur Kunst der Landschaftsdarstellung leistete er einen großen Beitrag. Die Holzschnittkunst hatte nach 150 Jahren einen neuen Anstoß nötig. Die Landschaft, zugleich das älteste und angesehenste fernöstliche Bildthema, sorgte für die neue Anregung; und es war der Genius Hokusais, der den einfachen Mann aus Edo dazu brachte, seine Darstellungen der Natur, die er von ihrer romantischsten und erhabensten Seite zeigte, zu genießen. Dies wurde durch den Umstand erleichtert, daß zwischen 1802 und 1822 viele Bücher produziert worden waren, die als Führer dienten, wenn man sich – einer neuen Mode folgend – auf Reisen begab, was unter den Tokugawa durch gute Straßen und verbesserte Verkehrsverbindungen einfacher geworden war. Die Tatsache, daß die Landschaft unter der Stadtbevölkerung so beliebt werden konnte, zeigt wieder einmal die tief verwurzelte Liebe der Japaner zu ihrem Land, und in Hokusais Holzschnitten erkannten sie eine reale Landschaftsszenerie, die die Vorstellungskraft eines Genies umgeformt hatte.

Der chinesische Maler liebte mehr die Idee der Landschaft. Sowohl Hokusai als auch Hiroshige gaben die allgemein bekannte Landschaft, die – obgleich sie meisterlich interpretiert war – jeder wiedererkennen, in die jeder sich hineinversetzen konnte. Man verlangte und erhielt nicht eine chinesische verfeinerte Darstellung, sondern etwas, das nur eben eindrucksvoller war als das Leben. Hokusai verwandelte die Umwelt in kühne und originelle Zeichnungen, ohne den Kontakt mit seinen Gegenständen zu verlieren. Seine künstlerische Extravaganz war in derselben Leidenschaft für das Sinnliche begründet, die am Anfang der ganzen Holzschnittentwicklung stand. Eine warme Menschlichkeit durchströmt alles, was er schuf. Für ihn war die Welt ein großer Theaterprospekt, vor dem der Mensch und seine Gefühle ihren wahrheitsgetreuen, winzigen Status haben. Sein Humor ist niemals boshaft. Gegen das Ende seines Lebens wandte er sich in wachsendem Maße klassischen Themen zu, die er aus einer tiefen Kenntnis von Literatur und Geschichte Chinas und Japans gewann. Die wiedergegebene Land-

Fig. 60 – Manga (»Skizze«). Werk des Hokusai. Vgl. Seite 212

FIG. 60

schaft zeigt die warmen und fröhlichen Motive, die seine Auffassung
der japanischen Landschaft durchströmen. Die Kompositionen,
obwohl eindrucksvoll, sind niemals nur um des Effektes willen
gemacht oder etwa unaufrichtig. Sein Gefühl für Linie und Farbe
ist unfehlbar. Seine »Skizzenbücher« sind eine unerschöpfliche
Fundgrube einzigartiger Zeichnungen, in denen jede Bewegung
des Menschen und der Welt, die er bewohnt, zum Anlaß für ein
originelles Kunstwerk wird. Er ist von ungeheurer Erfindungsgabe
besessen.

ABB. 59

Andō (Ichiryūsai) Hiroshige (1797–1858), der jüngere Zeitgenosse
Hokusais, trat von 1826 an in den Vordergrund mit seinen »Ansichten
der östlichen Hauptstadt« (um 1826), der ersten »Tōkaidō«-
Serie (1834), den »Berühmten Ansichten Kyōtos« (1834) und den
»Acht Ansichten des Biwa-Sees« (1835). Seine Begabung für Landschaft brachte einen endlosen Strom von Zeichnungen hervor, die
von unmittelbaren Eindrücken inspiriert waren. In ihnen spielt der
Mensch eine bevorzugtere Rolle als bei Hokusai. Für die einfachen
Leute war es leichter, die Gefühle von Hiroshiges Figuren nachzu-
empfinden, die aus dem Morgennebel treten, den Stürmen des
Regens trotzen oder schneebedeckte Abhänge hinaufstapfen. Hillier
bemerkt: »Unsere Sympathien werden nicht nur durch sein künstlerisches Können geweckt, sondern auch durch das Gefühl, daß er –
obwohl in seinem Wesen durchaus japanisch – auf eine nicht definierbare Weise uns näher steht in Stil und Empfindung als alle
seine Vorläufer...«[2]

[1] J. Hillier, »Japanese Masters of the Colourprint«. London 1954

ABB. 57 – Der Schauspieler Kikunojō III. als Ō-ishizu in dem Stück »Bunroku-sōga«, die er 1794
spielte. Werk des Tōshūsai Sharaku, tätig um 1794–1795. *Privatsammlung. Vgl. Seite 209*

ABB. 58 – Kurtisane. Werk des Kitagawa Utamaro (1753/4–1806). *Slg. Münsterberg, New Paltz,
New-York. Vgl. Seite 208*

ABB. 59 – Regen in Shōnō, aus den »53 Stationen des Tōkaidō«. Holzblockdruck. Werk des
Andō (Ichiryūsai) Hiroshige (1797–1858), ca. 1833–1840. *Privatsammlung. Vgl. oben und Seite 217*

ABB. 60 – Ansicht des Berges Fuji-san, von Kanagawa aus gesehen. Aus den 36 Ansichten des
Berges Fuji-san. Holzblockdruck. Werk des Katsushika Hokusai (1760–1849). *Vgl. Seite 210*

58

61

62

Sein Erfolg war, am Verkauf gemessen, einzigartig; aber leider wurden die Blöcke so oft benutzt, daß späte Drucke kaum noch eine Vorstellung von der Feinheit der Linie und Farbe der ersten Ausgaben geben. Er produzierte mehr als 5400 verschiedene Holzschnittzeichnungen, und viele sind Gelegenheitsarbeiten; aber unter ihnen finden sich viele kühne, unkonventionelle Kompositionen und eine überraschende Anzahl von Meisterwerken: Nachtszenen, Schneeszenen, Sturmszenen, Landschaften in Nebel und Regen – er war vor allem der Meister der Atmosphäre und poetischen Stimmung. Seine Ausführung ist bescheidener als die Hokusais, ABB. 59 sein Werk weniger originell und kühn, weniger kraftvoll in der Zeichenkunst, weniger mit den tieferen Problemen des Lebens befaßt und weit weniger kompliziert. Er freute sich an der Welt, in der er lebte, an seinem Erfolg. Seine Kommentare zur menschlichen Szene rufen ein Lächeln hervor, das – anders als bei Hokusai – keine ernsten Untertöne mehr hat. Michener erklärt Hiroshiges Erfolg in Europa mit einer Reihe verschiedener Faktoren: daß seine Produktion so außerordentlich war, daß jede Holzschnittsendung nach Europa in der ersten Zeit mit Sicherheit einige Hiroshiges enthielt; daß westliche Künstler, wie z. B. Turner, den Weg für die Darstellung von Naturphänomenen bereitet hatten; und das schließlich Hiroshiges Bildsprache sehr leicht verständlich ist.[3] Die in Abb. 59 dargestellten Reisenden – aus den »53 Ansichten des Tōkaidō«, der großen Straße, die Edo mit Kyōto

---

[3] James A. Michener, »The Floating World«. New York 1954. S. 213–226

ABB. 61 – Wasserbehälter. Keramik in Form eines hölzernen Kübels mit Wellen und Wasserpflanzen-Dekor auf weißem Grund. Werkstatt des Kenzan. *Vgl. Seite 222*

ABB. 62 – Oben links: Schale. Alt-Kutani. Oben rechts: Schale mit einem Dekor von Blumen und Vögeln. Werk des Kaki'emon. *Höhe 21,1 cm. Durchmesser 30,7 cm. Sammlung M. Shiobara, Tōkyō.* Unten links: Großer Krug. Werk des Nonomura Ninsei. *Höhe 27,7 cm. Seikadō-Stiftung, Tōkyō.* Unten rechts: Vase mit einem Dekor von Blumen, Früchten und Tieren. Nabeshima-Ware. *Höhe 30,6 cm. Privatsammlung. Vgl. Seite 223*

verband – sind wirkliche Menschen, mit denen man leicht mit-
fühlen kann.

Dies war eine Kunst, die auf die sowohl kritische als auch launische
breite Masse zugeschnitten war. Eine veränderte Haarmode konnte
den Erfolg eines Druckes zunichte machen; eine Schule oder ein
Künstler konnte beinahe über Nacht außer Mode kommen wie die
vorjährige Rocklänge. Aber die Talente stellten einen Holzschnitt
nach dem anderen her, bereit zu erfinden und zu plagiieren, nur
um sich durchzusetzen. Die Zeichner waren gezwungen, künstlerisch immer ihr Möglichstes zu tun, nach Neuem zu suchen und ihre
Rivalen auszustechen – und das durch drei Jahrhunderte.

Einfluß des Holzschnitts auf Europa — Als Japan sich schließlich von etwa 1868 an dem Westen öffnete,
kamen diese Holzschnitte als Verpackungsmaterial nach Europa.
Impressionisten wie Manet und seine Freunde fanden in ihnen eine
völlig neue Haltung gegenüber den Malproblemen – was ihnen
half, sich selbst von den Traditionen zu befreien, die sie verabscheu-
ten. Diese neuen Kompositionen waren voll unerwarteter, unkon-
ventioneller Auffassungen; es zeigten sich auch neue Möglichkeiten
der Linie, es gab klare, reine Farbfelder. Degas, van Gogh u. a.
waren von dieser Kunst von der geheimnisvollen anderen Seite der
Erde, die so lange westlichen Augen verschlossen gewesen war,
besonders beeindruckt.

Es ist interessant zu beobachten, daß moderne japanische Maler
zu der Tradition der Farbholzschnitte zurückgekehrt sind und in
ihnen eine fruchtbare Quelle der Inspiration fanden; die Geschicklichkeit im Umgang mit dem Messer, wie sie sie schon bei der
Skulptur bewiesen, scheint ihnen angeboren. Mit diesem Werkzeug
sind sie erfolgreicher gewesen als in jeder anderen Kunstform.

Das Auffallendste der sich ausbreitenden Künste in der Edo-
Periode ist das gründliche Interesse, mit dem die Japaner jeden
Aspekt der Natur nach Motiven durchsuchten. Es scheint, daß
ihnen kein Objekt, belebt oder unbelebt, zu trivial war, um es als
Thema eines, wenn auch noch so kleinen Gegenstandes wirklicher
Kunst zu verwenden. Der angeborene Geschmack und das hohe
Können der Handwerker während dieser Jahrhunderte ist von
keinem anderen Volk jemals erreicht worden. Der Umstand, daß

es wenig anderes gab, auf das sie ihren neuerworbenen Reichtum hätten verwenden können, mag zu dieser gewaltigen Produktion beigetragen haben. Die ständige Forderung nach Originalität bedeutete, daß sie sich selten wiederholten. Zwei besondere Gebiete, auf denen diese Kräfte am stärksten wirkten, waren die *tsuba* oder Schwertstichblätter und die Accessoires wie die *inrō* oder Medizinbüchschen und die als *netsuke* bekannten Gürtelschnurknöpfe.

Tsuba, Inrō

Netsuke

Das Schwertstichblatt oben links in Abb. 55 besteht aus gut geschmiedetem Eisen, überzogen mit schwarzem Magnetoxyd. Das Stück wurde von der vom 17. bis zum 19. Jahrhundert in der Provinz Echizen tätigen Kinai-Schule hergestellt, einer Schule, die vermutlich von einem Nachkommen des berühmtesten Waffenschmieds, des Myōchin, gegründet wurde, der im 12. Jahrhundert gearbeitet hatte. Die Kinai-Schule war auf dem Gebiet der *tsuba*-Herstellung seit dem 16. Jahrhundert berühmt. Dieses Stück wurde wahrscheinlich um 1800 angefertigt und gehört zu einer der populärsten Gruppen. Das durchbrochene Relief von fünf Kranichen ist sehr klar in der Zeichnung und reizvoll angeordnet. Es ist immer wieder entzückend zu beobachten, wie die Hersteller dieser Schwertstichblätter die schwierigen Formen auszunutzen verstanden und sie häufig zu einem künstlerischen Vorteil machten. Das Schwertstichblatt macht eher noch den Eindruck eines nützlichen Gegenstandes als den eines rein dekorativen.

ABB. 55

Das Stück rechts unten stammt aus der Ōmori-Schule, die im frühen 18. Jahrhundert gegründet wurde, und wie viele spätere Schwertstichblätter hat es eine künstlerische Qualität, die es in die Nähe von Goldschmiedearbeit rückt. Solche Schwertstichblätter wurden oft von Adligen als Geschenke benutzt und sahen niemals eine Schwertklinge. Das hier abgebildete Stück hat ein Relief von verschiedenen Herbstpflanzen – Chrysantheme, Aster, Enzian, Begonie u. a. – und ist reich mit Gold und Silber tauschiert. Dieses besonders schöne Beispiel ist von Terumasa, der von 1704–1772 arbeitete, signiert. Das Metall ist eine spezifisch japanische Legierung von Kupfer und einer geringen Beifügung von Gold, die dann gebeizt wurde, um die glänzende, rabenschwarze Färbung zu erhalten, die für viele *tsuba* charakteristisch ist. Der Untergrund ist mit einer unglaublich feinen und sorgfältigen Punzierung in der sogenannten »Fischrogen«-Technik ausgefüllt.

In der Mitte der Abbildung ist ein *inrō* oder Medizinbüchschen aus schwarzem Lack mit feinem Goldlackmuster zu sehen, das – vielleicht nach Vorbild eines Holzschnitts – eine Kurtisane zeigt. Sie sitzt mit dem üblichen nachdenklichen Blick, den Schreibpinsel in der Hand, und sinnt zweifellos über einen Liebesbrief nach. Solche Büchschen hingen am Ende der Schnur, die an der Hüfte durch den Gürtel führte und oben von einem *netsuke* gehalten wurde, von denen drei in der Abbildung zu sehen sind. Jedes Material, jede Technik wurden zu ihrer Herstellung benutzt.

Unten links ist eine Dämonenmaske aus rotem Lack abgebildet. Der *oni* oder Dämon spielt in der japanischen Mythologie und Folklore eine große Rolle und erscheint in vielerlei Gestalt. In der Mitte ist ein *netsuke* aus Elfenbein, einem beliebten Material, zu sehen mit einem häufig auftretenden Motiv: einem Pferd, das durch eine Spinnwebe springt; oben in der linken Ecke eine kleine runde Elfenbeinbüchse mit dem Relief eines Kriegers, der einen Dämon bezwingt. Solche zur Kleidung gehörigen Gegenstände wurden zu tausenden hergestellt, und zahllose Handwerker in über ganz Japan verstreuten Schulen widmeten ihnen ihr Talent. Die Gewandtheit der Japaner im Umgang mit dem Schnitzmesser wird in diesen Miniaturarbeiten deutlich veranschaulicht; sie versorgen ihre Liebhaber mit einer unerschöpflichen Welt kleinster Meisterwerke.

Keramik Schließlich müssen wir noch einen Blick auf die Keramikproduktion aus der Edo-Periode werfen. Anders als in China verteilt sich die Keramikherstellung in Japan auf eine große Zahl verschiedener kleiner und großer Brennöfen in vielen Gegenden Japans. Zudem prägten individuelle Künstler der Keramik ihren Stempel auf. Dadurch sind die japanischen Keramiken weit mannigfaltiger und komplizierter als die chinesischen. Grundsätzlich kann die Produktion in drei Gruppen eingeteilt werden: die von dem dekorativen Stil des 17. und 18. Jahrhunderts wie der Malerei der Sōtatsu-Kōrin-Schule beeinflußten Waren, die für die Tee-Zeremonie benutzten, und das vom chinesischen Vorbild beeinflußte Porzellan.

Fig. 61 – Sechseckiger Teller. Werk des Kenzan mit Dekor von Kōrin. Durchmesser 27 cm. Sammlung Ōkura. Tōkyō. Vgl. Seite 191, 222

Der bedeutendste Meister unter den Herstellern dekorativer Kera-
Ninsei miken war Ninsei, der in der Mitte des 17.Jahrhunderts arbeitete.
Die Anregung für diese Art von Keramik ist im wesentlichen japanisch; sie kam sowohl von der Malerei als auch von den feinen
Lackarbeiten, für die die Japaner immer berühmt waren. Auf einer
schwarzen Glasur sind die Dekors oft in kostbaren Emailfarben
unter reichlicher Verwendung von Gold ausgeführt. In vielen dieser
Stücke ist der Dekor ausgeglichen, und obwohl die Wirkung eine
rein dekorative ist, wird das Stück durch das Malerische des Dekors
bestimmt. Die Gefahr bei diesem Keramiktypus war, daß der Dekor
zu weit getrieben werden konnte, wie es tatsächlich bei vielen
Stücken der Fall war. Die besten Stücke sind Muster des japanischen
Geschmacks und sorgfältige Handwerksarbeit. Die Motive sind
typisch japanische Dekormotive wie Kirschblüte, Glyzinie, Pflaumenblüte und Kiefer.

Kenzan Als der bedeutendste Keramiker dieser Tradition ist wohl Kenzan
(1664–1743) zu bezeichnen, den wir als den Bruder des Malers
Kōrin erwähnt haben. Er steckte ein Vermögen in seine Gentleman-
Töpferwerkstatt in der Nähe von Kyōto und wurde nur durch einen
Gönner vor der Verarmung bewahrt, der ihn im Alter von 70 Jahren
nach Edo brachte, wo er seine letzten Lebensjahre mit einer ungeheuren Aktivität ausfüllte. Sein Werk ist sehr dem Stil Kōrins verpflichtet, indem er den Akzent auf einfache, kühn ausgeführte
FIG. 61 Motive und frei geschriebene Schriftzeichen legte. Oft malte auch
ABB. 61 Kōrin den Dekor seiner Gefäße. Der Wasserbehälter in Form eines
hölzernen Kübels mit Wellen und Wasserpflanzen auf weißem
Grund ist ein frühes Stück. Es war für die Tee-Zeremonie bestimmt
wie viele der Erzeugnisse dieser Schule.

Kutani-Porzellan Zu den frühesten Porzellanen gehört das Kutani-Porzellan, das in
einem Ort dieses Namens in der Provinz Kaga in der zweiten Hälfte
des 17.Jahrhunderts hergestellt wurde. Es wird allgemein angenommen, daß Hideyoshi bei der Rückkehr von seinem Koreafeld-
zug koreanische Töpfer mitbrachte, die sich in Japan niederließen,
wo sie für die Porzellanherstellung geeignetes Material finden konnten. Sie vermittelten ihre technischen Kniffe und die Dekorformen,
die in China während der Ming- und der Ch'ing-Dynastie üblich

waren. Die Alt-Kutani-Waren, besonders das Grüne Kutani, haben
lebhafte Farben, unter denen ein leuchtendes Dunkelgrün charakteristisch ist. Der Dekor ist häufig eine Kombination aus groben
geometrischen und kühnen naturalistischen Motiven, die auf dem
etwas rauhen und schweren Gefäßkörper, verbunden mit einer
kräftigen Zeichnung, einen Eindruck von Festigkeit und Sicherheit
vermitteln.

Zuletzt sei eine sehr große Gruppe von Porzellanwaren erwähnt,
die nach dem Namen eines Ortes auf der südlichen Insel Kyūshū,
wo große Lager von weißer Porzellanerde gefunden wurden, allgemein als Arita-Waren bezeichnet werden. Dort entwickelte sich vom
frühen 17. Jahrhundert an eine ungeheure Produktion. Die Abbildung
62 zeigt oben rechts ein Beispiel aus der Kaki'emon-Gruppe, begründet von Kaki'emon I., der sich um 1615 nach Arita begab und   *Arita-Ware*
um 1640 entdeckt haben soll, wie man roten Überglasur-Dekor   ABB. 62
herstellt. Vermutlich aber geschah dies nicht vor 1660–1690. Die
Qualität des weißen Grundes und der leuchtenden Farben ist mit
allem vergleichbar, was im Fernen Osten produziert wurde, und
selbst die Chinesen importierten dieses Porzellan. Japanische Kaki'emon-Waren gaben auch die Anregung für Meißen und Chan-
tilly. Der Stil dieser Schale, mit einem Dekor von Blumen und Vögeln versehen, ist von den Chinesen beeinflußt, in der Anordnung
aber typisch japanisch. Dekor und Formen dieser Waren zeigen
eine unbegrenzte Mannigfaltigkeit.

Die schönsten aller Arita-Waren gehören zu einem Typus, der als   *Nabeshima-Ware*
Nabeshima-Ware bekannt ist, nach dem Namen einer Adelsfamilie,
die als Mäzen der Werkstatt auftrat. Diese Waren wurden meist in
Ōkōchi hergestellt und waren für den Bedarf der Familie bestimmt,
die darauf achtete, daß der außerordentlich hohe Standard immer
eingehalten wurde. Das Unterglasurblau mit seiner charakteristischen weichen Tönung und die Überglasur-Schmelzfarben sind
immer mit großer Delikatesse auf einen milchig weißen Untergrund
gemalt, der dem ganzen Gefäß Weichheit verleiht. Das Gefäß mit dem
starken Einzug am unteren Gefäßkörper von Abb. 62 unten rechts
soll für zeremonielle Weinopfer gebraucht worden sein. Seine Form
ist ungewöhnlich; denn die meisten Nabeshima-Stücke, die erhalten

geblieben sind, haben die Form von Tellern. Jedoch ist es typisch in der Qualität und ein Beispiel für einen Dekor, der in der dekorativen Kunst dieser Jahrhunderte häufig auftritt. Bemerkenswert ist die Tendenz, lieber ein einziges Motiv kühn über die ganze Fläche zu malen, als kleinere Motive, säuberlich in Felder eingefaßt, zu wiederholen. Der Künstler hat das traditionelle »Drei-Freunde«-Motiv verwandt: Kiefer, Bambus und Pflaumenblüte – in den Farben Rot, Gelb und Purpur, während sich auf der anderen Seite des Gefäßes eine Orange, Kraniche und Schildkröten befinden. Hier werden an einem Stück die Qualität und die dekorative Geschicklichkeit sichtbar, die die japanischen Töpfer sich rasch aneigneten, so daß ihre Produkte nicht nur die Europäer in Erstaunen versetzten, sondern auch in China, der Heimat des Porzellans, sehr gesucht waren.

Der Niedergang und Sturz der Tokugawa-Herrscher war auf viele und verschiedene Ursachen zurückzuführen. Sie waren völlig unfähig, die Komplikationen einer sich ausdehnenden Wirtschaft zu bewältigen oder auch nur zu verstehen. Ständig gab es unter ihnen Inflation und Geldentwertung. Die periodisch auftretenden Mißernten führten zu weit verbreiteten Bauernerhebungen, die sie nur mit größter Schwierigkeit unter Kontrolle brachten. Der Adel war tief verschuldet, meist den reichen Kaufleuten, und völlig unfähig, seine Finanzen wieder zu ordnen. Die Tokugawa selbst hatten bei weitem nicht mehr das Format der Gründer des Regimes.

Die aufgeschlossenen Mitglieder der Gesellschaft waren sich sehr wohl der Veränderungen bewußt, die draußen in der Welt vor sich gingen, und eifrig bestrebt, an ihnen teilzuhaben. Das Reich glich einem kranken Körper; aber niemand war energisch genug, die Krankheit zu heilen.

Der dritte Faktor war der sich ausdehnende Handel und die imperialistische Gesinnung der Nationen Europas und Amerikas. Japan konnte den Kräften, die an seine Tür klopften, nur eine Zeit Widerstand leisten, und schließlich zwangen die USA Japan zur Aufgabe seiner isolationistischen Politik und zur Zulassung der Fremden. Unter der Anführung einer Anzahl mächtiger Adelsherren, wie derer von Satsuma und Chōshū, wurden die geschwächten Tokugawa-Militärmachthaber ohne viel Aufhebens gestürzt und – den Kaiser als Sammelpunkt benutzend – der Thron wieder in seine Macht eingesetzt und ein parlamentarisches Regierungssystem eingeführt. Damit trat Japan in die moderne Welt ein, und in verhältnismäßig kurzer Zeit war es in der Lage, sich von allen Resten eines beginnenden Kolonialismus freizumachen, seine Wirtschaft und seine bewaffneten Streitkräfte nach westlichem Vorbild zu organisieren und seinen Platz als eine völlig unabhängige, mächtige Nation einzunehmen, die weniger als hundert Jahre später die USA und das Commonwealth herauszufordern vermochte.

Unmittelbar nach der Öffnung des Landes neigten die Japaner dazu, alles Westliche unterschiedslos anzunehmen. Westliche Kunstrichtungen erfreuten sich großer Beliebtheit, und Schulen für Kunst im westlichen Stil wurden eröffnet. Nach wenig mehr als zehn Jahren, beeinflußt von westlichen Gelehrten wie Fenollosa, wandte sich Japan erneut der Bewahrung seiner Vergangenheit zu. Museen wurden gegründet und Maßnahmen eingeleitet, um die Schätze der Nation zu schützen. Letzteren verdanken wir die Erhaltung vieler der Meisterwerke, die in diesem Buch abgebildet sind.

In der Zwischenzeit reisten japanische Künstler nach Europa, lernten von der Pariser Schule, leisteten aber auch dort ihren Beitrag. Die japanische Pinselgewandtheit war für Europa eine Offenbarung, ebenso wie das japanische Kunsthandwerk, das auf Handelsmessen und in Ausstellungen gezeigt wurde. Japanische Maler nahmen aus allen Quellen, mit denen sie in Berührung kamen, Anregungen auf. Umgekehrt hat erst in allerjüngster Zeit der Westen von der Schreibkunst und vom Kunsthandwerk der Japaner gelernt. Unsere Töpfer sind den Japanern ebenso tief verpflichtet, wie es die Japaner China gegenüber sind. Die modernen Drucke sind in hohem Maße begehrt. Japan steht nun mitten im Strom internationaler moderner Kunstbewegungen und trägt ebensoviel zu diesen bei, wie es sich von ihnen anregen läßt. Was heute in Tōkyō produziert wird, ist morgen in New York zu sehen. Es ist eine erregende Periode; aber die Komplikationen und Verästelungen der unzähligen Kunstrichtungen in einem Land, in dem die Kunst immer außerordentlich lebendig war, gehören in einen anderen Band...

ZEITTAFEL

	JAPAN	CHINA	KOREA
400		**481–221** Streitende Reiche (Spät-Chou-Zeit)	
	bis ca. 200 v. Chr. Jōmon-Zeit:		
300	Schnur-Keramik, dogū- Figuren		
		221–206 Ch'in-Dynastie	
200	**ca. 200 v. Chr.–500 n. Chr.** Yayoi-Zeit:	**206 v. – 220 n. Chr.**	
100	Töpferscheibe	Han-Dynastie	**108 v. – 313 n. Chr.** Nang-Nang-(Lolang,
0		65 erster Beleg über buddhistische Gemeinden	Rakurō); Han-Kolonie **1. Jh. v. Chr.? – 668**
n. Chr.			Koguryŏ
100			**1. Jh. v. Chr.? – 663** Pekche
200		**220–265** Drei Reiche	**1. Jh. v. Chr.? – 668** Silla
		265–581 Sechs Dynastien	
300	**300 – ca. 700** Tumulus-Zeit: Haji- und Sue-Keramik; haniwa	3./4. Jh. Ausbreitung des Buddhismus in Nord- und Südchina, älteste erhaltene Buddha-Darstellung z. T. unter Ghandara-Einfluß	372 Koguryŏ buddhistisch
	Erste Kultureinflüsse aus China und Korea (u. a.	**386–535** Nord-Wei-Dynastie	384 Pekche buddhistisch
400	Schrift)	445/446 Buddhistenverfolg. 5./6. Jh. Grottentempel	424–524 Silla buddhistisch
500		Yün-kang, Lung-mên ca. 500 Ch'an-Buddhismus nach China	
	552 Buddhismus aus Pekche übernommen (offiz. Datum)	**550–581** Nord-Ch'i-Nord-Chou-	
	552–645 Asuka-(Suiko-)Zeit: 574–622 Kronprinz Shōtoku Kunst unter koreanischem Einfluß	Dynastie Grotten von Hsiang-t'ang- shan Spätes 6. Jh. T'ien-t'ai-Schule	6./7. Jh. Blüte der frühen buddhistischen Kunst
600	607 Hōryū-ji-Tempel begründet 623 Shaka-Trias von Tori 645 Taika-Reform	**581–618** Sui-Dynastie **618–906** T'ang-Dynastie Hauptstadt Ch'ang-an	
	645–710 Hakuhō-Zeit: Kunst unter Sui- und Früh-T'ang-Einfluß Tamamushi-Schrein	Maler Wu Tao-tse	**668–935** Vereinigtes (Groß-) Silla- Reich Hauptstadt Kyongju

ZEITTAFEL

JAPAN	CHINA	KOREA
710–794 Nara-Zeit: Buddhistische Kunst nach T'ang-Vorbild Hauptstadt Nara: Yakushi-ji-Tempel, Tōdai-ji-Tempel u. a. 752 Großer Buddha Wandgemälde im Hōryū-ji- Tempel ca. 763 Statue des Priesters Ganjin	Spätphase der Grotten vom T'ien-lung-shan	7.–9. Jh. Klassische buddhi- stische Kunst unter T'ang- Einfluß
794–897 Jōgan-Zeit: Hauptstadt Heiankyō=Kyōto Klöster auf dem Hiesan (Tendai-Schule) und dem Kōyasan (Shingon-Schule) Buddhistisch-shintōistischer Synkretismus Heian-Zeit 794–1185	843–845 Buddhistenverfolg. Ennin, japanischer Mönch in China	
897–1185 Fujiwara-Zeit: Blüte der Höfischen Kultur, unabhängig von China und Korea Roter Fudō Chōjū Giga Shigisan-engi-emaki Genji-monogatari-emaki	**906–960** Fünf Dynastien **960–1278** Sung-Dynastie Nord-Sung: 960–1127 Liao-Dynastie: 907–1125 Süd-Sung: 1127–1278	**932–1392** Koryŏ-Zeit Hauptstadt Kesong Fortsetzung der Silla-Kunst, z. T. unter Sung-Einfluß 1097 Ch'an-(Son-) Buddhismus nach Korea
1185–1336 Kamakura-Zeit: Kamakura, Hauptquartier der Militärregenten Ritterkultur Bildnis des Minamoto Yoritomo Einführung des Zen- Buddhismus (Klöster in Kamakura) Neuer chinesischer Einfluß: Sung	Tuschmalerei des Ch'an- Buddhismus (13. Jh.) Neo-Konfuzianismus	1206–1236 Mongoleneinfälle

Die linken Jahreszahlen-Marken: 700, 800, 900, 1000, 1100, 1200

ZEITTAFEL

JAPAN	CHINA	KOREA
Skulptur: Unkei und seine Schule 1252 Großer Buddha in Kamakura **1300** Tengū-sōshi Ippen Shōnin-emaki	**1278–1368** Yüan-(Mongolen-) Dynastie Lamaismus, besonders in Nordchina	
1336–1573 Ashikaga-(Muromachi-) Zeit: Tosa-Schule Blüte der Zen-Kunst (Tuschmalerei, Teezeremonie); in Kyōto unter starkem chinesischem Einfluß ca. 1345 Tuschbild »Kanzan« von Kaō 1389 Kinkaku-ji-Tempel **1400** 1420–1506 Sesshū Kanō-Schule **1500** 1539–1610 Hasegawa Tōhaku	**1368–1644** Ming-Dynastie Literaten-(wên-jên-)Malerei	**1392–1910** Yi-Dynastie Konfuzianismus, Niedergang des Buddhismus und seiner Kunst
1573–1603 Momoyama-Zeit: 1583 Bildnis des Oda Nobunaga 1583–1585 Hideyoshi erbaut Schloß Ōsaka um 1600 Namban Byōbu **1600**		
1603–1868 Tokugawa-(Edo-)Zeit: Sitz der Regenten (Shōgune) ist Edo = Tōkyō 1602 Ieyasu erbaut das Schloß Nijō Kōetsu 1558?–1637 Sōtatsu Anfang 17. Jh. Kōrin 1658–1716 Kenzan 1663–1743 Spätphase der Zen-Malerei (Zen-ga): Hakuin 1685–1768 **1700** 1688–1704 Genroku-Ära Ukiyo-e Utamaro 1754–1806 Sharaku um 1794–1796 Hokusai 1760–1849 **1800** Hiroshige 1797–1858	**1644–1912** Ch'ing-Dynastie	

HOKKAIDŌ

JAPAN - SEE

H
O
N
S
H
U

K
O
R
E
A

SILLA

SENDAI ●

■ Ko-Kutani   Nikkō ■

TŌKYŌ
BIWA-SEE   YOKOHAMA
KYŌTO   ■ Seto   FUJI-SAN ▲   KAMAKURA
MOMOYAMA   NAGOYA
Bizen ■   ● NARA
ŌSAKA
■ Wakayama

SHIKOKU

Karatsu ■
Nabeshima ■
Arita ■
NAGASAKI
KYŪSHŪ

PAZIFIK

● STÄDTE
■ Keramikwerkstätten

JAPAN

229

Armbruster, Gisela: Das Shigisan-Engi-Emaki. Heidelberg, 1958.

Ausstellung Altjapanischer Kunst. Staatliche Museen Berlin. Berlin, 1939.

Baltzer, F.: Die Architektur der Kultbauten Japans. Berlin, 1907.

Bersihand, Roger: Geschichte Japans. Stuttgart, 1963.

Binyon, Lawrence: Painting in the Far East. 4th ed. London, 1949.

Binyon, Lawrence & Sexton, J. J. O'Brien: Japanese Colour Prints. ed. B. Gray, 2d ed. London, 1960.

Blaser, Werner: Tempel und Teehaus in Japan. Olten/Lausanne, 1955.

Blaser, Werner: Wohnen und Bauen in Japan. Teufen (Aargau), 1958.

Boller, Willy: Meister des japanischen Farbholzschnitts. Bern, 1947.

Bowers, Faubion: Japanese Theatre. London, 1934.

Brasch, Kurt: Hakuin und die Zen-Malerei. Tōkyō, 1957.

Brasch, Kurt: Zenga. Tōkyō, 1961.

Brower, Robert H. & Miner, Earl: Japanese Court Poetry. Stanford, California, 1961.

Buhot, J.: Histoire Des Arts Du Japon. Vol. 1. Paris, 1949.

Conze, E.: Buddhism. Oxford, 1951.

Drexler, A.: The Architecture of Japan. New York, 1955.

Feddersen, Martin: Japanisches Kunstgewerbe. Braunschweig, 1960.

Feddersen, Martin: Das Kunstgewerbe Ostasiens (in: Bosserts Geschichte des Kunstgewerbes aller Zeiten und Völker, Bd. III, Berlin, 1930).

Figgess, John & Koyama, Fujio.: Two Thousand Years of Oriental Ceramics. London, 1962.

Fischer, Otto: Die Kunst Indiens, Chinas und Japans (Propyläen-Kunstgeschichte). Berlin, 1928.

Glaser, Curt: Die Kunst Ostasiens. Leipzig, 1913. 2. Auflage 1920.

Gray, Basil: Japanese Screen Painting. London, 1955.

Grilli, Elise: Golden Screen Paintings of Japan. New York. o. J.

Grilli, Elise: Sharaku. New York. o. J.

Grilli, Elise: Japanese Picture Scrolls. New York, 1958.

Grousset, René: The Civilizations of the East (IV Japan). London, 1934.

Groussety, René: Japan. Paris, 1930.

Gunsaulus, Helen C.: The Clarence Buckingham Collection of Japanese Prints: The Primitives. Chicago, 1955.

Gunsaulus, Helen C.: Japanese Textiles. The Japan Society of New York, 1941.

Harada, Jiro: A Glimpse of Japanese Ideals. Tōkyō, 1937.

Harada, Y.: English Catalogue of Treasures in the Imperial Repository Shōsōin. Tōkyō, 1932.

Hasumi, T.: Japanische Plastik. Fribourg, 1960.

Hempel, Rose: Zenga. Malerei des Zen-Buddhismus. München, 1960.

Hillier, J.: The Japanese Print – A New Approach. London, 1960.

Hillier, J.: Hokusai. London, 1956.

Hillier, J.: Japanese Masters of the Colour Print. London, 1955.

Hisamatsu, Shin'ichi: Zen to bijutsu (Zen and Fine Arts). Kyōto, 1958.

Honey, William Bowyer: Japanese Prints of the Primitive Period in the Collection of Louis V. Ledoux. New York, 1942.

Honey, William Bowyer: Ceramic Art of China and Other Countries of the Far East. London, 1945.

Honey, William Bowyer: Japanese Prints by Harunobu and Shunshō in the Collection of Louis V. Ledoux. New York, 1945.

Honey, William Bowyer: Japanese Prints, Bunchō to Utamaro, in the Collection of Louis V. Ledoux. New York, 1948.

Honey, William Bowyer: Japanese Prints, Sharaku to Toyokuni, in the Collection of Louis V. Ledoux. Princeton, 1950.

Honey, William Bowyer: Japanese Prints by Hokusai and Hiroshige in the Collection of Louis V. Ledoux. Princeton, 1951.

Ishida, M., und Wada, G.: The Shōsōin. An 8th Century Treasure House. Tōkyō, 1954.

Iwamiya, Takeji: Schönheit japanischer Formen. Fribourg, 1964.

Iwamiya, Takeji: Geheimnis japanischer Schönheit. Fribourg, 1965.

Jakobsen, Kristian: Japanische Teekeramik. Braunschweig, 1958.

Japan. Frühe buddhistische Malereien. (UNESCO-Sammlung der Weltkunst). Paris/München, 1959.

Japan. The Official Guide. Tōkyō, 1962.

Jenyns, Soame: »The Wares of Kutani«. Transactions of the Oriental Ceramic Society, XXI (1945 bis 1946).

Joly, H. L.: Japanese Sword Guards. London, 1910.

Kidder, J. E.: Alt-Japan. Japan vor dem Buddhismus. Köln, o. J.

Kidder, J. E.: Japan. Entstehung einer Kunst. Fribourg, 1964.

Kidder, J. E.: Japanische Skulpturen. Fribourg. o. J.

Kikuchi, Sadao: Hokusai. (Japanese Famous Painting, Series 1). Tōkyō, 1956.

Kobayashi, Takeshi: Study on Life and Works of Unkei. Okajima, 1954.

Kondo, Ichitaro: Utamaro. (Japanese Famous Painting, Series 1). Tōkyō, 1956.

Kōrin-ha Gashū: (Masterpieces Selected from the Kōrin School). 5 Vols. Tōkyō, 1903–1906.

Kultermann, Udo: Neues Bauen in Japan. Tübingen, 1960.

Kümmel, Otto: Die Kunst Chinas, Japans und Koreas (Handbuch der Kunstwissenschaft). Wildpark-Potsdam, 1929.

Kuno, T.: A Guide to Japanese Sculpture. Tōkyō, 1963.

Kyōto National Museum: Muromachi jidai shoga. (Painting and Calligraphy of Muromachi Period). (Special Exhibition April 27 – May 8, 1961). Kyōto, 1961.

Lee, Sherman E.: Tea Taste in Japanese Art. New York, 1963.

Lee, Sherman E.: A History of Far Eastern Art. London, 1964.

Meinertzhagen, F.: The Art of the Netsuke Carver. London, 1956.

Michener, James, A.: The Floating World. New York. 1954.

Michener, James, A.: Japanese Prints from the Early Masters to the Modern. Rutland, Vermont, 1960.

Minamoto, H.: An Illustrated History of Japanese Art. Kyōto, 1935.

Mitsuoka, T.: Ceramic Art of Japan. Tōkyō, 1949.

Miller, Roy Andrew: Japanese Ceramics (after Japanese text by Seiichi Okuda, Fujio Koyama, and Seizo Hayashita). Rutland, Vermont, 1960.

Moriya, Kenji: Die japanische Malerei. Wiesbaden, 1953.

Munsterberg, Hugo: Landscape Painting of China and Japan. Tōkyō, 1955.

Munsterberg, Hugo: The Arts of Japan. Tōkyō and London, 1957.

Murasaki Shikibu: The Tale of Genji. Trans. Arthur Waley, 6 Vols. London, 1926–1933.

Nabeshima House Factory Research Committee: Nabeshima Coloured Porcelains. Kyōto, 1954.

Naitō, Tōichirō: The Wall Paintings of Hōryū-ji. Baltimore, 1943.

Nakamura, Keidan: Eitoku (Japanese Famous Painting, Series 1). Tōkyō, 1957 (?).

Nihon Emakimono Shūsei (Sammlung japanischer Bilderrollen), 22 Bde. Japanischer Text von Tanaka Ichimatsu. Tōkyō, 1929–1932.

Nihon Emakimono Zenshū (Japanese Scroll paintings). Tōkyō, 1958ff.

Nippon Seikwa: (Art Treasures of Japan), 5 Vols. Nara, 1908–1911.

Nishimura, Tei: Namban Art; Christian Art in Japan, 1549–1639. Tōkyō, 1958.

Noma, Seiroku & Kuno, Takeshi: Albums of Japanese Sculpture. 6 Vols. Tōkyō, 1953.

Noma Soreiku, translated and adapted by John Rosenfield: The Arts of Japan, Ancient and Medieval. Tōkyō, 1965.

Oakland Art Museum: Japanese Ceramics from Ancient to Modern Times, Selected from Collections in Japan and America. (February 4 through 26, 1961), ed. Fujio Koyama, Oakland, California, 1961.

Okamoto, Yoshitomo: Namban Byobuko. (A Study of Folding Screens Depicting the Westerners Coming to Japan through Southern Islands). Tōkyō, 1955.

Old Imari Research Committee (ed): Old Imari. Tōkyō, 1959.

Paine, Robert, T.: Japanese Screen Painting. Boston, 1935.

Paine, Robert T. & Soper, Alexander C.: The Art and Architecture of Japan. Baltimore, 1955, 2d ed., 1960.

Sammlung Tony Straus-Negbaur. Japanische Farbenholzschnitte des 17.–19. Jahrhunderts. Berlin, 1928.

Sansom, George: Japan, A Short Cultural History. New York, 1931.

Sansom, George: History of Japan. (3 Vols). London, 1959–1964.

Seckel, Dietrich: Das älteste Langrollenbild in Japan. Kako-Genzai-Ingakyō. In: Bulletin of Eastern Art, No. 37, Tōkyō, 1943.

Seckel, Dietrich: Buddhistische Kunst Ostasiens. Stuttgart, 1957.

Seckel, Dietrich: Emaki, Die Kunst der klassischen japanischen Bilderrollen. Zürich, 1959.

Engl.: Emakimono, the Art of the Japanese Painted Hand-scroll. Photographs and foreword by Akihisa Hasé. New York, 1959.

Seckel, Dietrich: Einführung in die Kunst Ostasiens. München, 1960.

Seidlitz, Woldemar von: A History of Japanese Colour Prints. London, 1920.

Sekai Toji Zenshu: (Catalogue of World's Ceramics). 16 Vols. Tōkyō, 1955–1956.

Smith, Bradley: Japan. Geschichte und Kunst. München, 1965.

Speiser, Werner: Die Kunst Ostasiens. Berlin, 1946. Neudruck 1956.

Speiser, Werner: Chinesische und japanische Malerei. In: Meisterwerke außereuropäischer Malerei. Berlin, 1959.

Society of Friends of Eastern Art: Index of Japanese Painters. Tōkyō, 1959.

Soper, Alexander C.: »The Rise of Yamato-e«. Art Bulletin XXIV (December, 1942).

Soper, Alexander C.: »Illustrative Method of the Tokugawa Genji Pictures«. Art Bulletin XXXVII (March 1955).

Soper, Alexander C.: Buddhist Architecture in Japan. Princeton, 1942.

Sōtatsu, Kōrin, Byōga-shū: (Collection of Screen Paintings by Sōtatsu and Kōrin). 3d ed. Kyōto, 1919.

Stewart, Basil: Subjects Portrayed in Japanese Colour Prints. London, 1922.

Strange, E. F.: Japanese Colour Prints. London, 1931.

Suzuki, Susumu: Buson. (Japanese Famous Painting, Series 1). Tōkyō, 1956.

Suzuki, Susumu & Others: Ike-no Taiga sakuhin shū. (The Works of Ike-no Taiga). 2 Vols. Tōkyō, 1960.

Suzuki, Takashi: Hiroshige. New York, 1958.

Swann, Peter C.: An Introduction to the Arts of Japan. Oxford, 1958.

Swann, Peter C.: Hokusai. London, 1959.

Tajima, Shiichi (ed).: Kōrin-ha Gwashū. (A Collection of Drawings by Kōrin and His School). 1903.

Takahashi, Sei-Ichiro: The Evolution of Ukiyoe; the Artistic, Economic and Social Significance of Japanese Wood-block Prints. Yokohama, 1955.

Taki, Seiichi: Three Essays on Oriental Painting. London, 1920.

Tanaka, Sakutaro: Ninsei. (Wares by Ninsei). No. 24 of Tōki Zenshū. Tōkyō, 1960.

Toda, Kenji: Japanese Scroll Painting. Chicago, 1935.

Tōki Zenshū: (Ceramic Series: Collective Catalogue of Pottery and Porcelain of Different Periods in Japan, China and Korea). 28 Vols. Tōkyō, 1957.

Tōkyō National Museum: Pageant of Japanese Art. 6 Vols. Tōkyō, 1952ff.

Tōkyō National Museum: Exhibition of Japanese Buddhist Arts. Tōkyō, 1956.

Tsudzumi, Tsuneyoshi: Die Kunst Japans. Leipzig, 1929.

Volker, T.: The Japanese Porcelain Trade of the Dutch East India Company after 1683. Leiden, 1959.

Warner, Langdon: The Craft of the Japanese Sculptor. New York, 1936.

Warner, Langdon: The Enduring Art of Japan. Cambridge, Mass. 1952.

Warner, Langdon: Japanese Sculpture of the Tempyō Period. Harvard University Press, 1964.

Watson, W.: Sculpture of Japan. London, 1959.

Yashiro, Yukio: 2000 Years of Japanese Art. London, 1958.

Yashiro, Yukio: Art Treasures of Japan. 2 Vols. Tōkyō, 1960.

Yoshida, Tetsurō: Japanische Architektur. Tübingen, 1952.

Yoshida, Tetsurō: Das japanische Wohnhaus. Berlin, 1935. 2. Auflage Tübingen, 1954.

Yoshida, Tetsuro: Der japanische Garten. Tübingen, 1957.

Yoshizawa, Chu: Taiga. (Japanese Famous Painting, Series 1). Tōkyō, 1957.

VERZEICHNIS DER FARBTAFELN

QUELLENNACHWEIS DER FARBAUFNAHMEN

Folgende Aufnahmen stellte die Firma Benrido Kyōto, mit freundlicher Erlaubnis der Eigentümer für uns her: Nr. 31, 35, 37, 55. – Photo Schmölz, Köln, Nr. 50.

VERZEICHNIS DER ZEICHNUNGEN

REGISTER

(Die Kursivzahlen beziehen sich auf die Bilder und Bildunterschriften)

INHALTSVERZEICHNIS